사고력 수학 소마가 개발한 연산학습의 새 기준!!

소마의 **마**술같은 원리**셈**

소마셈

A4
1학년

수학이 즐거워지는 특별한 수학교실
소마에서 개발한 연산교재 소마셈

소마셈

2002년 대치소마 개원 이후로 끊임없는 교재 연구와 교구의 개발은 소마의 자랑이자 자부심입니다. 교구, 게임, 토론 등의 다양한 활동식 수업으로 스스로 문제해결능력을 키우고, 아이들이 수학에 대한 흥미와 자신감을 가질 수 있도록 차별성 있는 수업을 해 온 소마에서 연산 학습의 새로운 패러다임을 제시합니다.

연산 교육의 현실

연산 교육의 가장 큰 폐해는 '초등 고학년 때 연산이 빠르지 않으면 고생한다.'는 기존 연산 학습지의 왜곡된 마케팅으로 인해 단순 반복을 통한 기계적 연산을 강조하는 것입니다. 하지만, 기계적 반복을 위주로 하는 연산은 개념과 원리가 빠진 연산 학습으로써 아이들이 수학을 싫어하게 만들 뿐 아니라 사고의 확장을 막는 학습방법입니다.

초등수학 교과과정과 연산

초등교육과정에서는 문자와 기호를 사용하지 않고 말로 풀어서 연산의 개념과 원리를 설명하다가 중등교육과정부터 문자와 기호를 사용합니다. 교과서를 살펴보면 모든 연산의 도입에 원리가 잘 설명되어 있습니다. 요즘 현실에서는 연산의 원리를 묻는 서술형 문제도 많이 출제되고 있는데 연산은 연습이 우선이라는 인식이 아직도 지배적입니다.

연산 학습은 어떻게?

연산 교육은 별도로 떼어내어 추상적인 숫자나 기호만 가지고 다뤄서는 절대로 안됩니다. 구체물을 가지고 생각하고 이해한 후, 연산 연습을 하는 것이 필요합니다. 또한, 속도보다 정확성을 위주로 학습하여 실수를 극복할 수 있는 좋은 습관을 갖추는 데에 초점을 맞춰야 합니다.

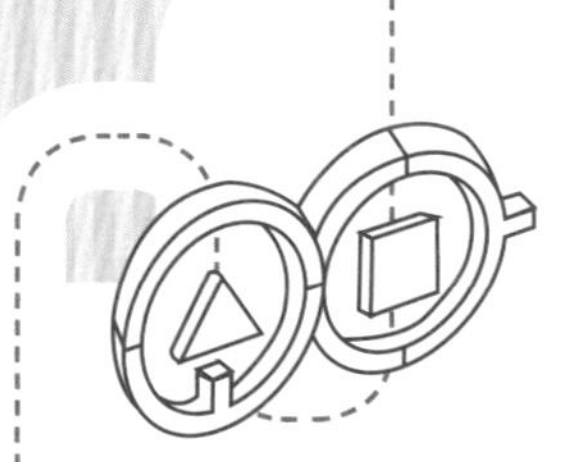

소마셈 연산학습 방법

10이 넘는 한 자리 덧셈 구체물을 통한 개념의 이해

덧셈과 뺄셈의 기본은 수를 세는 데에 있습니다. 8+4는 8에서 1씩 4번을 더 센 것이라는 개념이 중요합니다. 10의 보수를 이용한 받아 올림을 생각하면 8+4는 (8+2)+2지만 연산 공부를 시작할 때에는 덧셈의 기본 개념에 충실한 것이 좋습니다. 이 책은 구체물을 통해 개념을 이해할 수 있도록 구체적인 예를 든 연산 문제로 구성하였습니다.

가로셈 가로셈을 통한 수에 대한 사고력 기르기

세로셈이 잘못된 방법은 아니지만 연산의 원리는 잊고 받아 올림한 숫자는 어디에 적어야 하는지만을 기억하여 마치 공식처럼 풀게 합니다. 기계적으로 반복하는 연습은 생각없이 연산을 하게 만듭니다. 가로셈을 통해 원리를 생각하고 수를 쪼개고 붙이는 등의 과정에서 키워질 수 있는 수에 대한 사고력도 매우 중요합니다.

곱셈구구 곱셈도 개념 이해를 바탕으로

곱셈구구는 암기에만 초점을 맞추면 부작용이 큽니다. 곱셈은 덧셈을 압축한 것이라는 원리를 이해하며 구구단을 외움으로써 연산을 빨리 할 수 있다는 것을 알게 해야 합니다. 곱셈구구를 외우는 것도 중요하지만 곱셈의 의미를 정확하게 아는 것이 더 중요합니다. 4×3을 할 줄 아는 학생이 두 자리 곱하기 한 자리는 안 배워서 45×3을 못 한다고 말하는 일은 없도록 해야 합니다.

K단계 (5, 6, 7세) • 연산을 시작하는 단계

뛰어세기, 거꾸로 뛰어세기를 통해 수의 연속한 성질(linearity)을 이해하고 덧셈, 뺄셈을 공부합니다. 각 권의 호흡은 짧지만 일관성 있는 접근으로 자연스럽게 나선형식 반복학습의 효과가 있도록 하였습니다.

학습대상 : 연산을 시작하는 아이와 한 자리 수 덧셈을 구체물(손가락 등)을 이용하여 해결하는 아이

학습목표 : 수와 연산의 튼튼한 기초 만들기

P단계 (7세, 1학년) • 받아올림이 있는 덧셈, 뺄셈을 배울 준비를 하는 단계

5, 6, 9 뛰어세기를 공부하면서 10을 이용한 더하기, 빼기의 편리함을 알도록 한 후, 가르기와 모으기의 집중학습으로 보수 익히기, 10의 보수를 이용한 덧셈, 뺄셈의 원리를 공부합니다.

학습대상 : 받아올림이 없는 한 자리 수의 덧셈을 할 줄 아는 학생

학습목표 : 받아올림이 있는 연산의 토대 만들기

A단계 (1학년) • 초등학교 1학년 교과과정 연산

받아올림이 있는 한 자리 수의 덧셈, 뺄셈은 연산 전체에 매우 중요한 단계입니다. 원리를 정확하게 알고 A1에서 A4까지 총 4권에서 한 자리 수의 연산을 다양한 과정으로 연습하도록 하였습니다.

학습대상 : 초등학교 1학년 수학교과과정을 공부하는 학생

학습목표 : 10의 보수를 이용한 받아올림이 있는 덧셈, 뺄셈

B단계 (2학년) • 초등학교 2학년 교과과정 연산

두 자리, 세 자리 수의 연산을 다룬 후 곱셈, 나눗셈을 다루는 과정에서 곱셈구구의 암기를 확인하기보다는 곱셈구구를 외우는데 도움이 되고, 곱셈, 나눗셈의 원리를 확장하여 사고할 수 있도록 하는데 초점을 맞추었습니다.

학습대상 : 초등학교 2학년 수학교과과정을 공부하는 학생

학습목표 : 덧셈, 뺄셈의 완성 / 곱셈, 나눗셈의 원리를 정확하게 알고 개념 확장

C단계 (3학년) • 초등학교 3, 4학년 교과과정 연산

B단계까지의 소마셈은 다양한 문제를 통해서 학생들이 즐겁게 연산을 공부하고 원리를 정확하게 알게 하는데 초점을 맞추었다면, C단계는 3학년 과정의 큰 수의 연산과 4학년 과정의 혼합 계산, 괄호를 사용한 식 등, 필수 연산의 연습을 충실히 할 수 있도록 하였습니다.

학습대상 : 초등학교 3, 4학년 수학교과과정을 공부하는 학생

학습목표 : 큰 수의 곱셈과 나눗셈, 혼합 계산

D단계 (4학년) • 초등학교 4, 5학년 교과과정 연산

분모가 같은 분수의 덧셈과 뺄셈, 소수의 덧셈과 뺄셈을 공부하여 초등 4학년 과정 연산을 마무리하고 초등 5학년 연산과정에서 가장 중요한 약수와 배수, 분모가 다른 분수의 덧셈과 뺄셈을 충분히 익힐 수 있도록 하였습니다.

학습대상 : 초등학교 4, 5학년 수학교과과정을 공부하는 학생

학습목표 : 분모가 같은 분수의 덧셈과 뺄셈, 소수의 덧셈과 뺄셈, 분모가 다른 분수의 덧셈과 뺄셈

소마셈 단계별 학습내용

K단계 추천연령 : 5, 6, 7세

단계	K1	K2	K3	K4
권별 주제	10까지의 더하기와 빼기 1	20까지의 더하기와 빼기 1	10까지의 더하기와 빼기 2	20까지의 더하기와 빼기 2
단계	K5	K6	K7	K8
권별 주제	10까지의 더하기와 빼기 3	20까지의 더하기와 빼기 3	20까지의 더하기와 빼기 4	7까지의 가르기와 모으기

P단계 추천연령 : 7세, 1학년

단계	P1	P2	P3	P4
권별 주제	30까지의 더하기와 빼기 5	30까지의 더하기와 빼기 6	30까지의 더하기와 빼기 10	30까지의 더하기와 빼기 9
단계	P5	P6	P7	P8
권별 주제	9까지의 가르기와 모으기	10 가르기와 모으기	10을 이용한 더하기	10을 이용한 빼기

A단계 추천연령 : 1학년

단계	A1	A2	A3	A4
권별 주제	덧셈구구	뺄셈구구	세 수의 덧셈과 뺄셈	□가 있는 덧셈과 뺄셈
단계	A5	A6	A7	A8
권별 주제	(두 자리 수)+(한 자리 수)	(두 자리 수)−(한 자리 수)	두 자리 수의 덧셈과 뺄셈	□가 있는 두 자리 수의 덧셈과 뺄셈

B단계 추천연령 : 2학년

단계	B1	B2	B3	B4
권별 주제	(두 자리 수)+(두 자리 수)	(두 자리 수)−(두 자리 수)	세 자리 수의 덧셈과 뺄셈	덧셈과 뺄셈의 활용
단계	B5	B6	B7	B8
권별 주제	곱셈	곱셈구구	나눗셈	곱셈과 나눗셈의 활용

C단계 추천연령 : 3학년

단계	C1	C2	C3	C4
권별 주제	두 자리 수의 곱셈	두 자리 수의 곱셈과 활용	두 자리 수의 나눗셈	세 자리 수의 나눗셈과 활용
단계	C5	C6	C7	C8
권별 주제	큰 수의 곱셈	큰 수의 나눗셈	혼합 계산	혼합 계산의 활용

D단계 추천연령 : 4학년

단계	D1	D2	D3	D4
권별 주제	분모가 같은 분수의 덧셈과 뺄셈(1)	분모가 같은 분수의 덧셈과 뺄셈(2)	소수의 덧셈과 뺄셈	약수와 배수
단계	D5	D6		
권별 주제	분모가 다른 분수의 덧셈과 뺄셈(1)	분모가 다른 분수의 덧셈과 뺄셈(2)		

구성과 특징

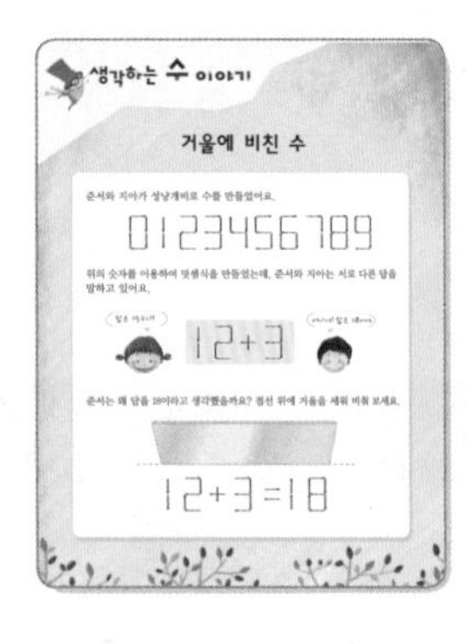

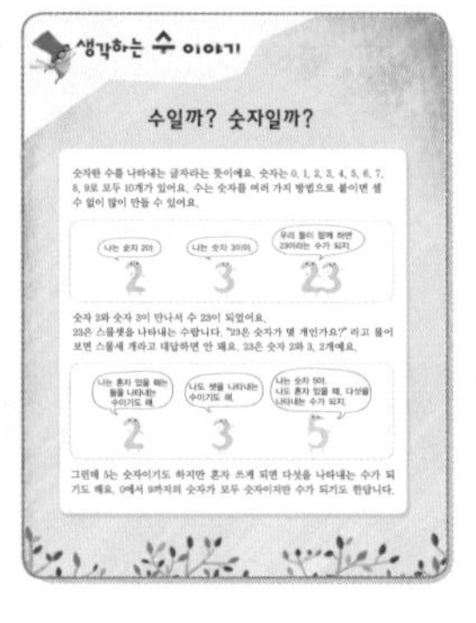

1 수 이야기

생활 속의 수 이야기를 통해 수와 연산의 이해를 돕습니다. 수의 역사나 재미있는 연산 문제를 접하면서 수학이 재미있는 공부가 되도록 합니다.

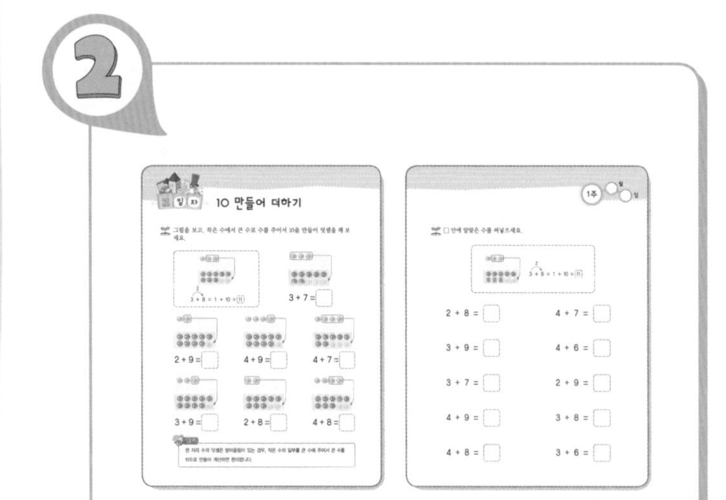

2 원리 & 연습

구체물 또는 그림을 통해 연산의 원리를 쉽게 이해하고, 원리의 이해를 바탕으로 연산이 익숙해지도록 연습합니다.

덧셈, 뺄셈 퍼즐

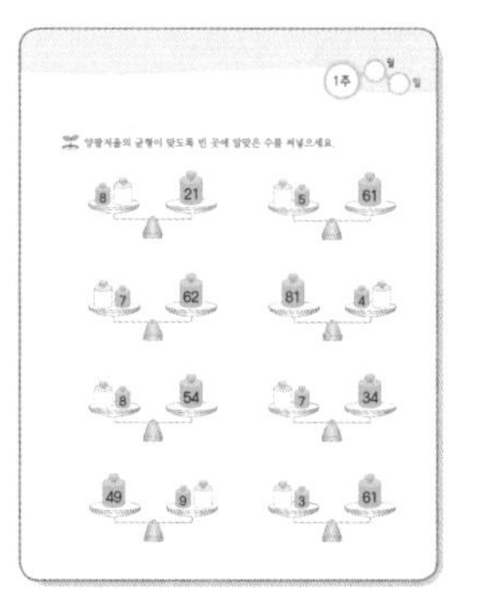

사고력 연산

반복적인 연산에서 나아가 배운 원리를 활용하여 확장된 문제를 해결합니다. 어려운 문제를 싣기보다 다양한 생각을 할 수 있는 내용으로 구성하였습니다.

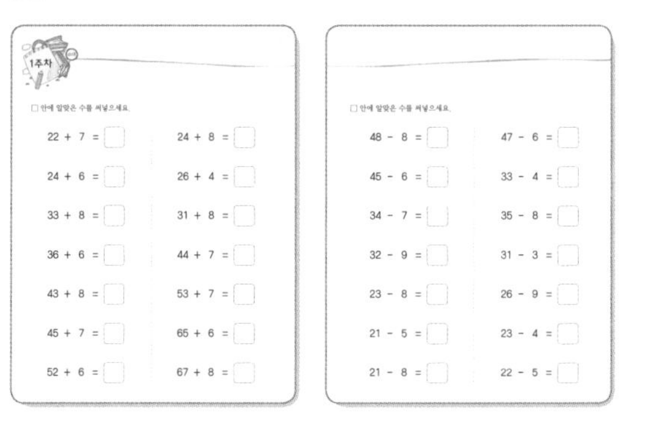

1주차

□ 안에 알맞은 수를 써넣으세요.

22 + 7 = □
24 + 6 = □
33 + 8 = □
36 + 6 = □
43 + 8 = □
45 + 7 = □
52 + 6 = □

24 + 8 = □
26 + 4 = □
31 + 8 = □
44 + 7 = □
53 + 7 = □
65 + 6 = □
67 + 8 = □

□ 안에 알맞은 수를 써넣으세요.

48 - 8 = □
45 - 6 = □
34 - 7 = □
32 - 9 = □
23 - 8 = □
21 - 5 = □
21 - 8 = □

47 - 6 = □
33 - 4 = □
35 - 8 = □
31 - 3 = □
26 - 9 = □
23 - 4 = □
22 - 5 = □

Drill (보충학습)

주차별 주제에 대한 연습이 더 필요한 경우 보충학습을 활용합니다.

연산과정의 확인이 필수적인 주제는 Drill의 양을 2배로 담았습니다.

수라고 모두 같은 수가 아니라고?

우리 생활 속에서 사용되는 수들이 모두 같지는 않대요. 5라는 수가 어떻게 사용되고 있는지 살펴보고 차이점을 알아볼까요?

연정이의 이야기에서 5개는 개수를 나타내는 수예요. 개수를 세는 수는 수가 생긴 이유이기도 해요.

수호의 이야기에서 5번은 이름을 대신하는 수예요. 아파트의 몇 동 몇 호, 전화번호와 같이 우리 주위에서 많이 사용되고 있답니다.

정수가 말한 5등은 순서를 나타낼 때 사용하는 수예요. 몇 등, 몇 번째와 같이 사용되는 수를 말해요.

이렇게 같은 5라는 수도 여러 가지 의미로 사용되고 있답니다.

소마셈 A4 – 1주차

어떤 수 + □

어떤 수 + □

 그림을 보고 □안에 알맞은 수를 써넣어, ★이 나타내는 수를 구하세요.

●●●●●●● + ★ = ●●●●●●●●●●

★ = ●●●●●●●●●● − ●●●●●●●

= ●●●

7 + ★ = 10

★ = [10] - [7]

= [3]

●●●●● + ★ = ●●●●●●●●●

★ = ●●●●●●●●● − ●●●●●

= ●●●●

5 + ★ = 9

★ = □ - □

= □

●●●●●● + ★ = ●●●●●●●●●

★ = ●●●●●●●●● − ●●●●●●

= ●●●

6 + ★ = 9

★ = □ - □

= □

7+★=10일 때, 7에서 얼마가 더해졌는지를 찾아서 ★을 구할 수 있습니다. 그림을 통해 더해진 수인 ★은 10−7과 같음을 알도록 합니다.

1주 월 일

그림을 보고 □안에 알맞은 수를 써넣어, ★이 나타내는 수를 구하세요.

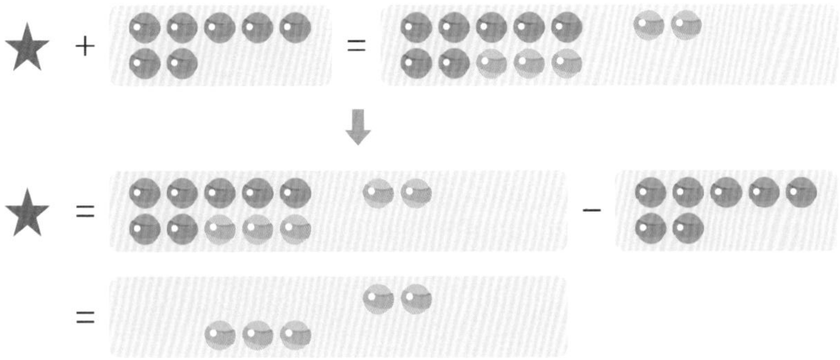

★ + 7 = 12

★ = 12 - 7

= 5

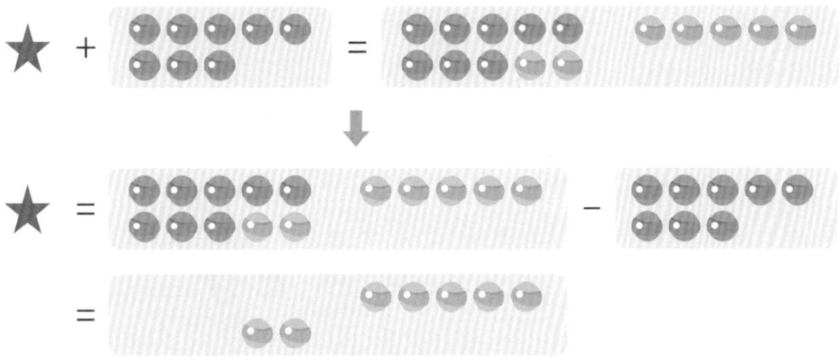

★ + 8 = 15

★ = □ - □

= □

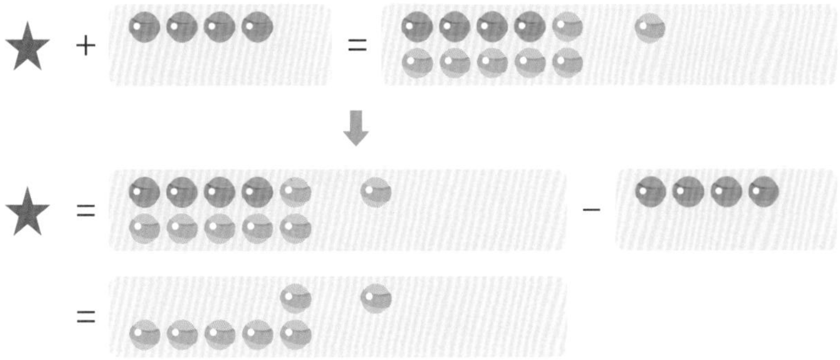

★ + 4 = 11

★ = □ - □

= □

 □안에 알맞은 수를 써넣어, ▲가 나타내는 수를 구하세요.

▲ + 8 = 9

▲ = 9 - 8 = 1

3 + ▲ = 9

▲ = □ - □ = □

▲ + 7 = 15

▲ = □ - □ = □

8 + ▲ = 17

▲ = □ - □ = □

▲ + 3 = 8

▲ = □ - □ = □

7 + ▲ = 9

▲ = □ - □ = □

▲ + 6 = 14

▲ = □ - □ = □

3 + ▲ = 11

▲ = □ - □ = □

수직선과 수 막대

 수직선을 보고, □안에 알맞은 수를 써넣으세요.

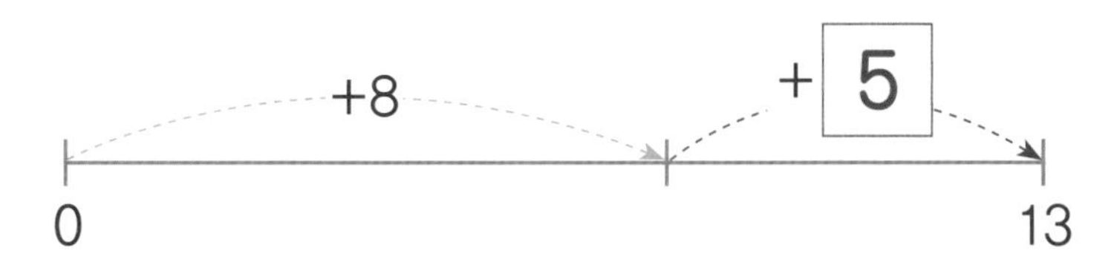

$8 + \boxed{5} = 13$

+6 + □

0 13

$6 + \square = 13$

+7 + □

0 11

$7 + \square = 11$

+8 + □

0 15

$8 + \square = 15$

+6 + □

0 12

$6 + \square = 12$

 수직선을 보고, □안에 알맞은 수를 써넣으세요.

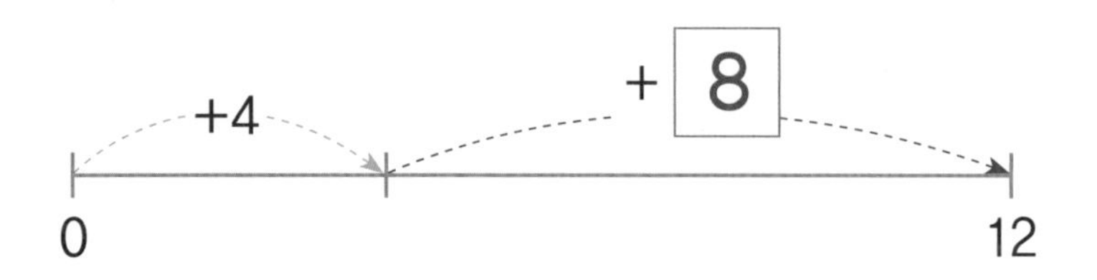

4 + 8 = 12

+7 + □

0 14

7 + □ = 14

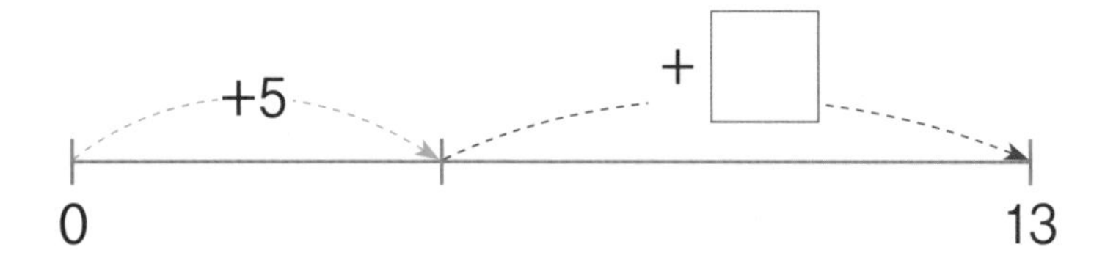

5 + □ = 13

+9 + □

0 15

9 + □ = 15

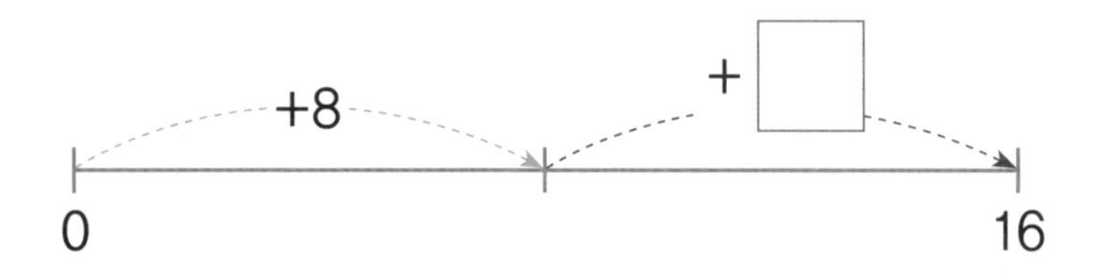

8 + □ = 16

수 막대를 보고, □안에 알맞은 수를 써넣으세요.

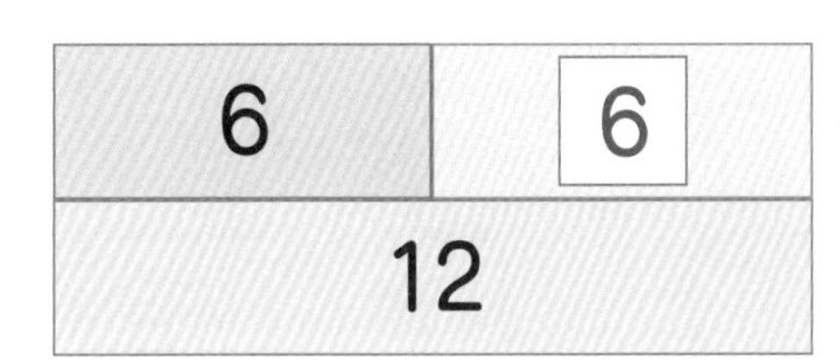

□	4
11	

7	□
10	

8	□
15	

6	□
14	

8	□
13	

□	3
12	

4	□
13	

5	□
12	

8	□
12	

수 상자

 빈칸에 알맞은 수를 써넣으세요.

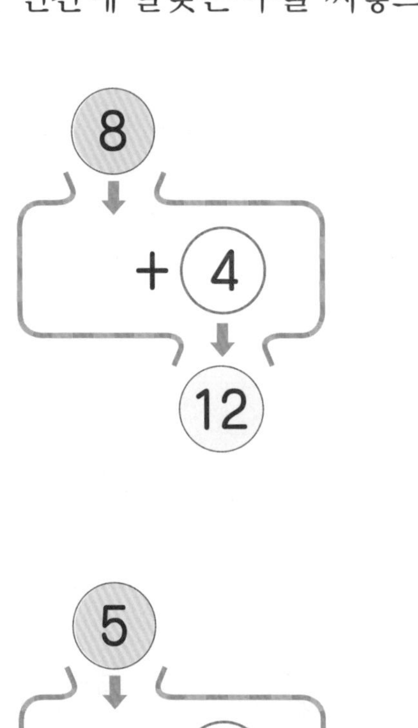

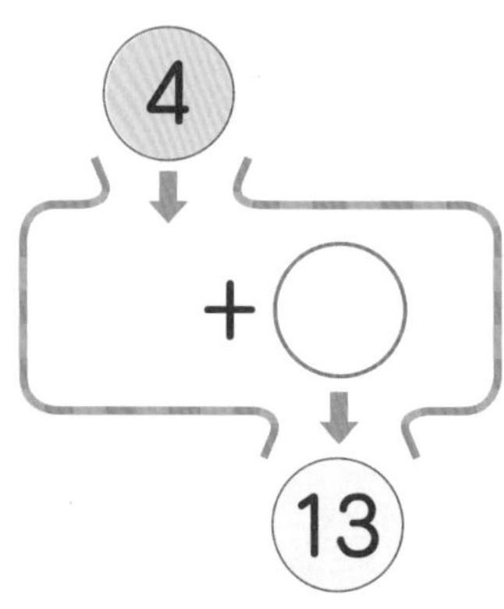

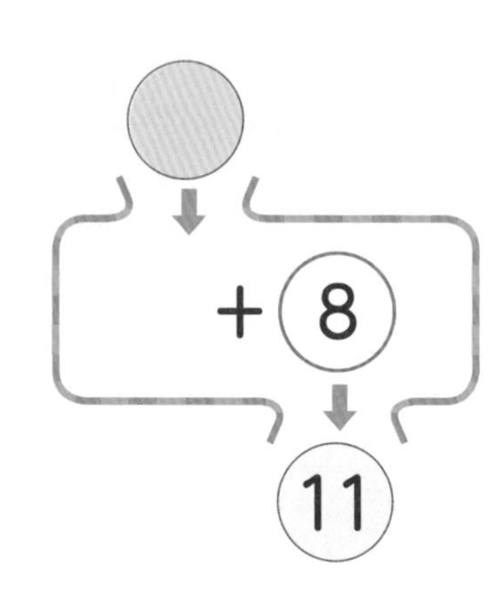

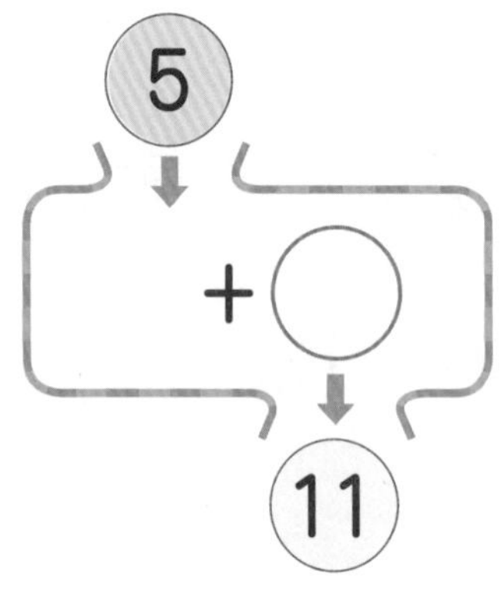

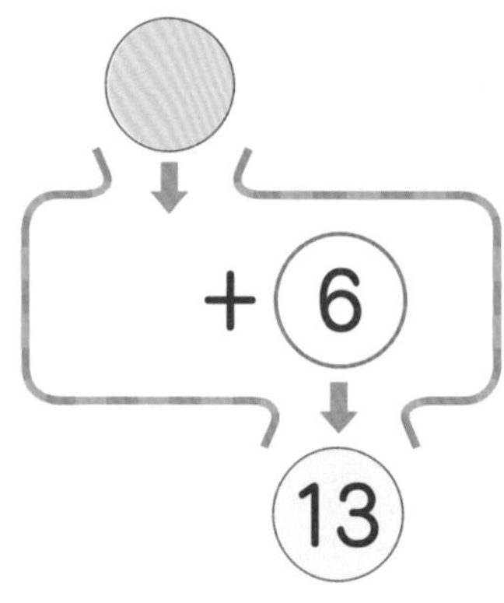

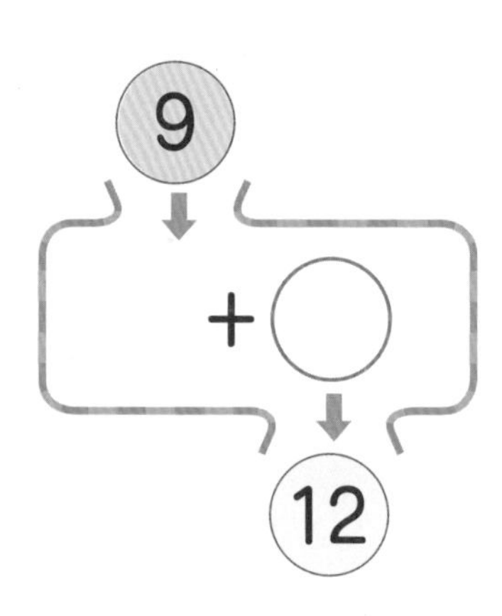

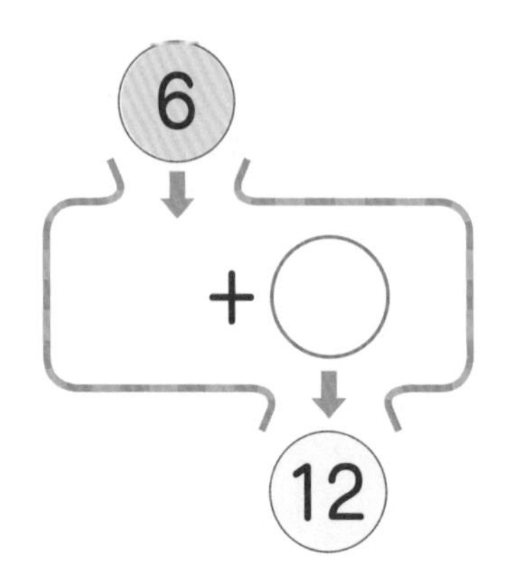

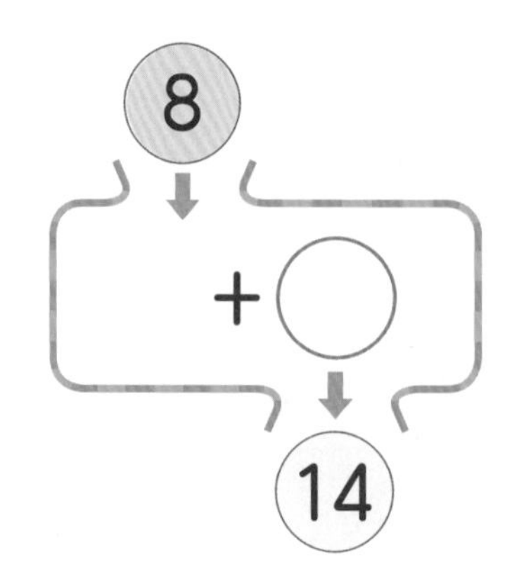

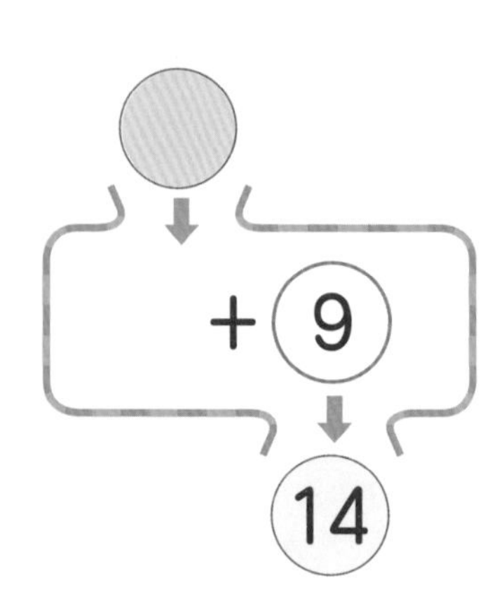

빈칸에 알맞은 수를 써넣으세요.

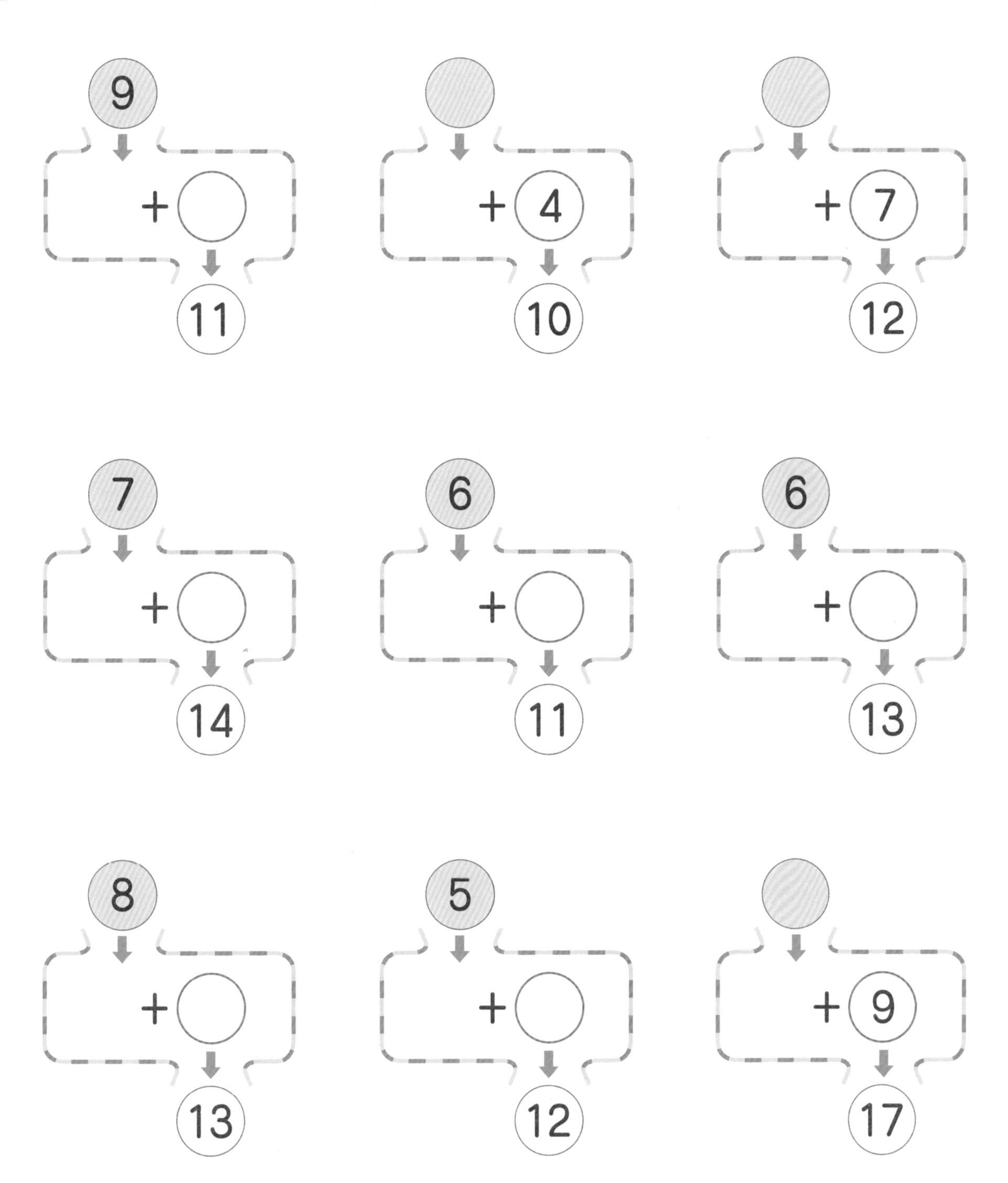

저울산

양팔저울의 균형이 맞도록 빈 곳에 알맞은 수를 써넣으세요.

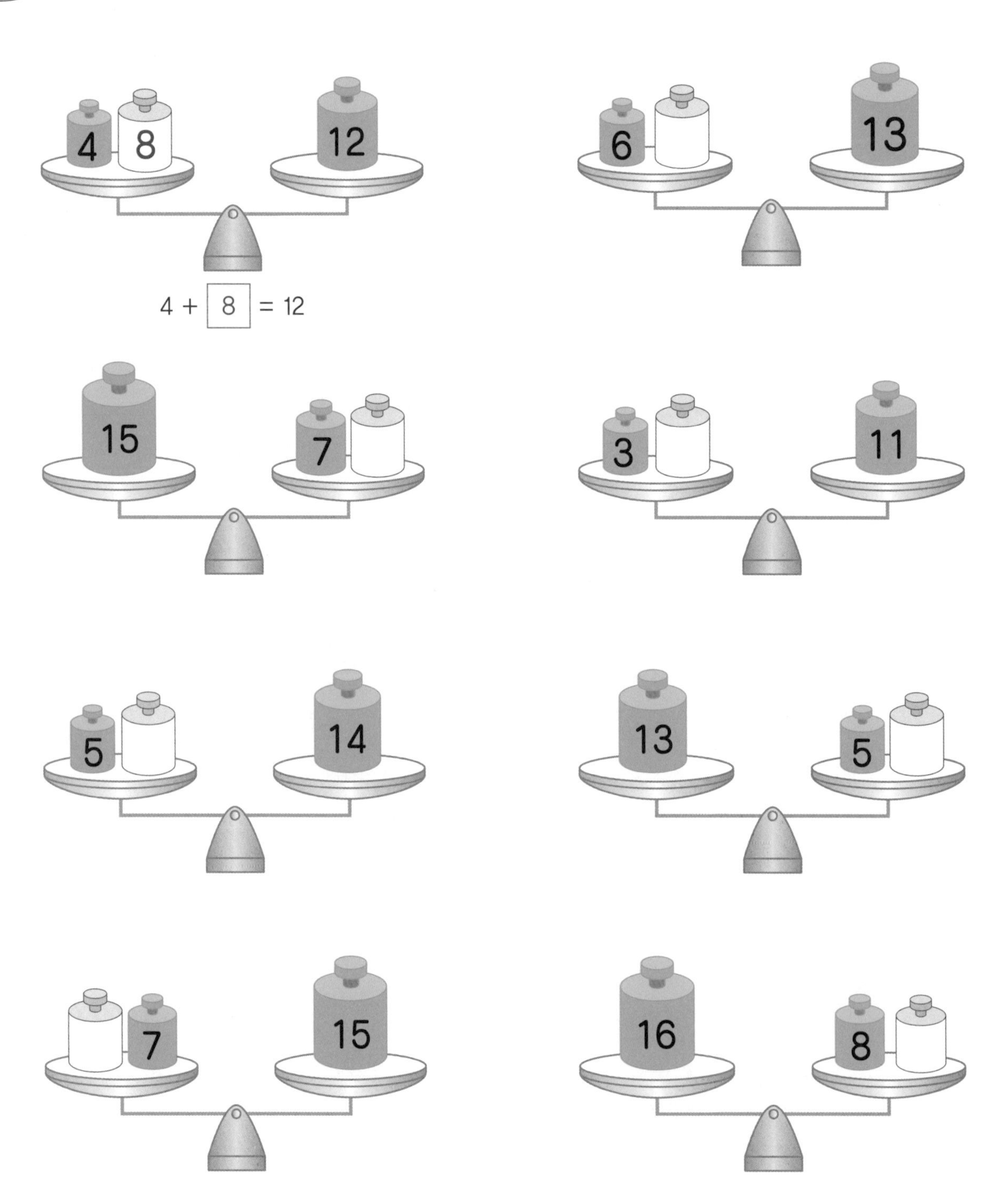

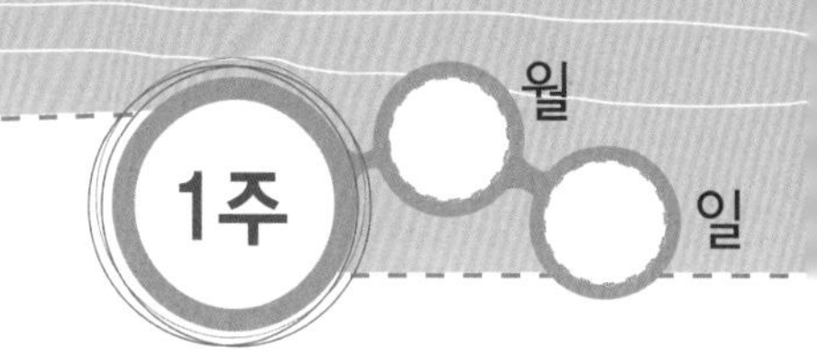

양팔저울의 균형이 맞도록 빈 곳에 알맞은 수를 써넣으세요.

□가 있는 식 만들기

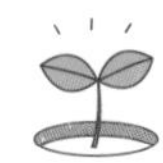 이야기를 읽고 □를 사용하여 식을 만들고, □를 구하세요.

정우는 희연이와 도서관에서 만나기로 하여 집을 나섰습니다. 버스 정류장에 도착하여 줄을 서 있는데 심심했던 정우는 버스를 기다리는 사람의 수를 세어보기로 했습니다.
버스를 기다리는 사람 중 남자는 7명이었고, 여자 몇 명이 더 있었습니다.
모두 11명이 줄을 서 있었다면, 버스 정류장에 줄을 서 있는 사람 중에서 여자는 몇 명일까요?

식 : 7 + □ = 11

 명

 다음을 읽고 □를 사용하여 식을 만들고, □를 구하세요.

주영이는 연필이 8자루 있는데 지난주에 선생님에게 상으로 연필을 몇 자루 더 받았습니다. 주영이가 현재 가지고 있는 연필이 14자루라면 상으로 받은 연필은 몇 자루일까요?

식 :

□ 자루

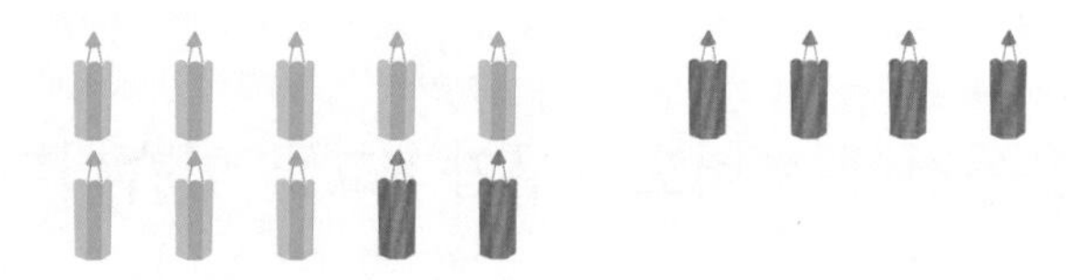

철희가 딱지 7개를 만들어 친구들과 딱지치기를 했습니다. 철희가 여러 번 이겨서 딱지 몇 개를 땄더니 모두 12개가 되었습니다. 철희가 친구들에게 딴 딱지는 몇 개일까요?

식 :

□ 개

 다음을 읽고 □를 사용하여 식을 만들고, □를 구하세요.

소풍을 간 호철이와 소연이가 팀이 되어 보물찾기를 했습니다. 호철이가 먼저 4개를 찾았고, 소연이가 몇 개를 더 찾아서 둘은 모두 11개의 보물을 찾았습니다. 소연이가 찾은 보물은 몇 개일까요?

식 : □ 개

소마 초등학교 운동장에는 버드나무가 8그루 있습니다. 식목일에 버드나무를 몇 그루 더 심었더니 모두 14그루가 되었습니다. 식목일에 심은 버드나무는 몇 그루일까요?

식 : □ 그루

올해 7살인 수지의 나이와 오빠의 나이를 합하면 16살이 됩니다. 수지의 오빠는 몇 살일까요?

식 : □ 살

다음을 읽고 □를 사용하여 식을 만들고, □를 구하세요.

세림이는 추석에 엄마와 송편을 만들었습니다. 얼마 후 만든 송편을 세어보니 세림이는 5개를 만들었고, 둘이 만든 송편은 모두 13개였습니다. 엄마가 만든 송편은 몇 개일까요?

식 :

개

꽃병에 빨간색 장미가 6송이 꽂혀 있습니다. 노란색 장미 몇 송이를 더 꽂았더니 모두 11송이가 되었습니다. 노란색 장미는 몇 송이일까요?

식 :

송이

학교 운동장에 세발 자전거를 타는 아이들이 5명 있습니다. 현지가 자전거를 세어보니 두발 자전거와 세발 자전거는 모두 14대가 있습니다. 두발 자전거를 타는 아이들은 몇 명일까요?

식 :

명

Note

소마셈 A4 – 2주차

어떤 수 – □

어떤 수 - □

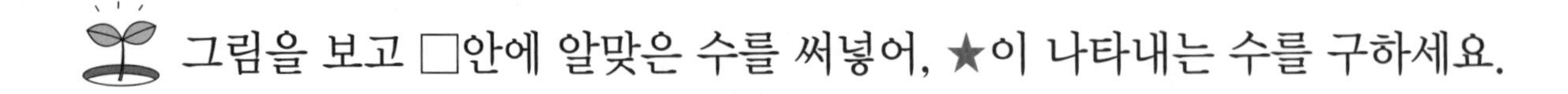

그림을 보고 □안에 알맞은 수를 써넣어, ★이 나타내는 수를 구하세요.

9 - ★ = 4

★ = 9 - 4

= 5

9 - ★ = 6

★ = □ - □

= □

8 - ★ = 3

★ = □ - □

= □

TIP

9-★=4일 때, 9에서 얼마를 빼었는지를 찾아서 ★을 구할 수 있습니다. 그림을 통해 뺀 수인 ★이 9-4와 같음을 알도록 합니다.

그림을 보고 □안에 알맞은 수를 써넣어, ★이 나타내는 수를 구하세요.

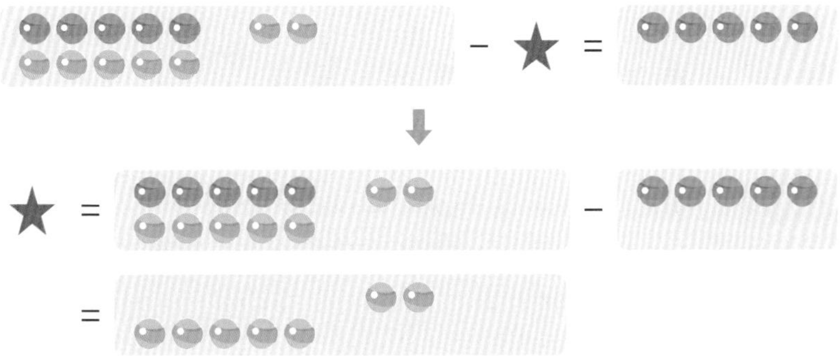

12 - ★ = 5

★ = 12 - 5

= 7

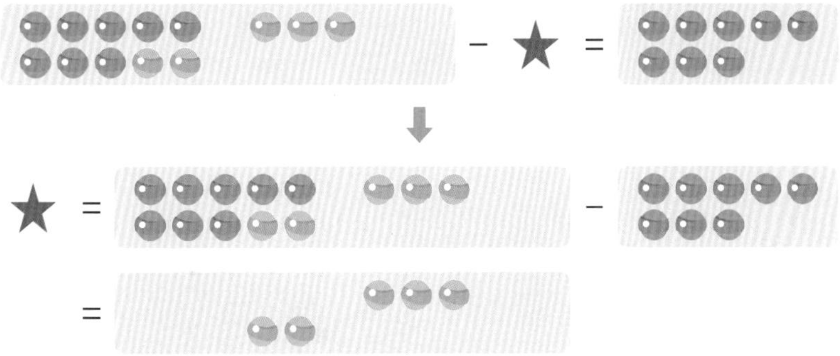

13 - ★ = 8

★ = □ - □

= □

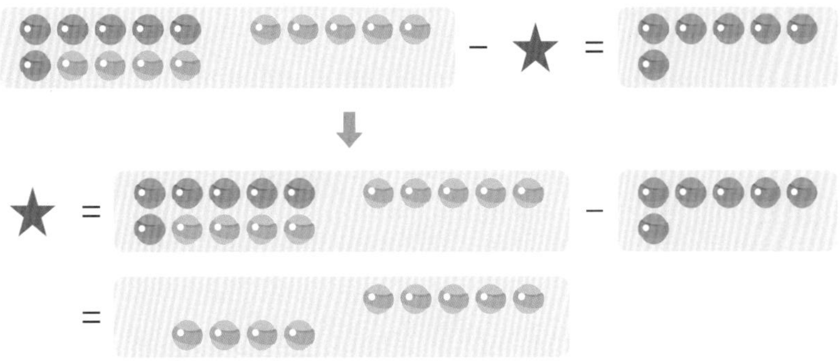

15 - ★ = 6

★ = □ - □

= □

 □안에 알맞은 수를 써넣어, ▲가 나타내는 수를 구하세요.

10 - ▲ = 3

▲ = 10 - 3 = 7

8 - ▲ = 2

▲ = □ - □ = □

12 - ▲ = 6

▲ = □ - □ = □

14 - ▲ = 7

▲ = □ - □ = □

11 - ▲ = 3

▲ = □ - □ = □

15 - ▲ = 8

▲ = □ - □ = □

13 - ▲ = 5

▲ = □ - □ = □

12 - ▲ = 7

▲ = □ - □ = □

수직선과 수 막대

 수직선을 보고, □안에 알맞은 수를 써넣으세요.

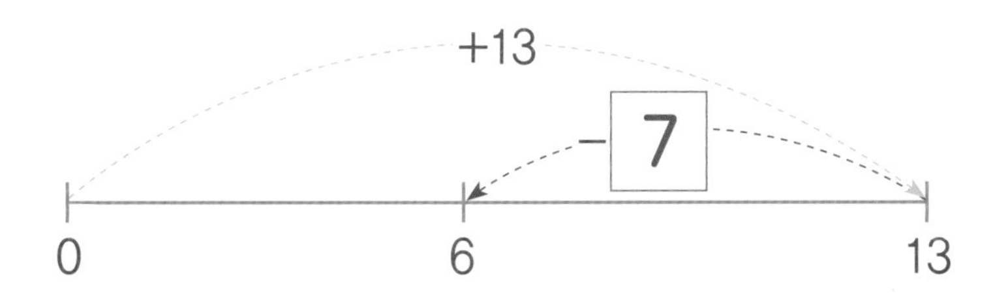

13 - 7 = 6

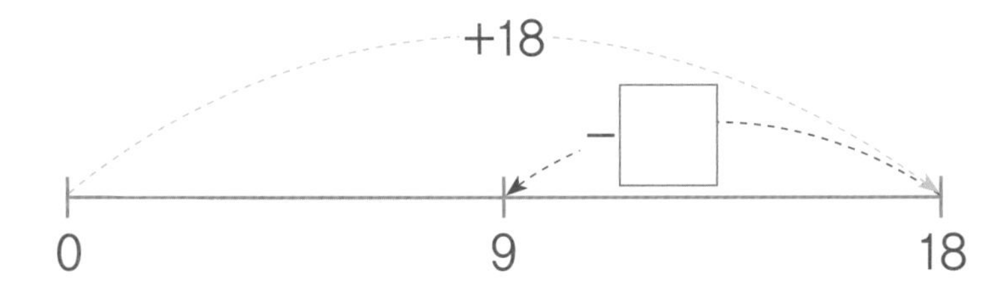

18 - □ = 9

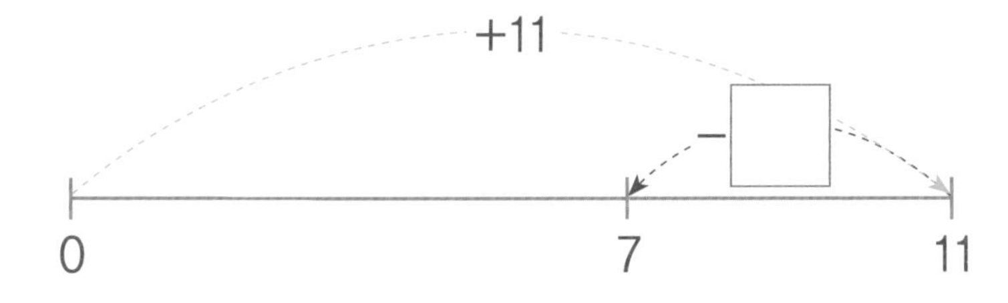

11 - □ = 7

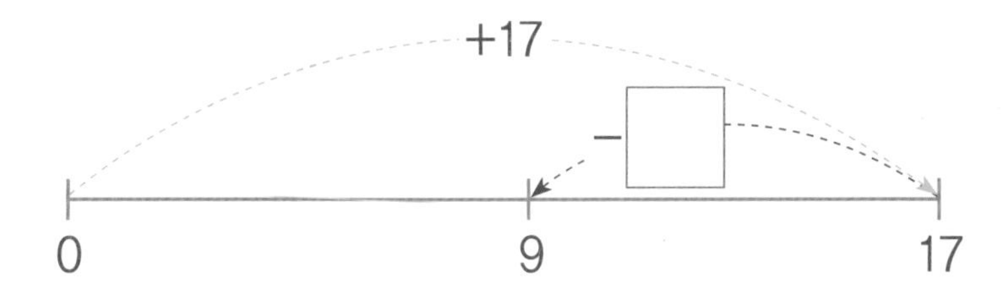

17 - □ = 9

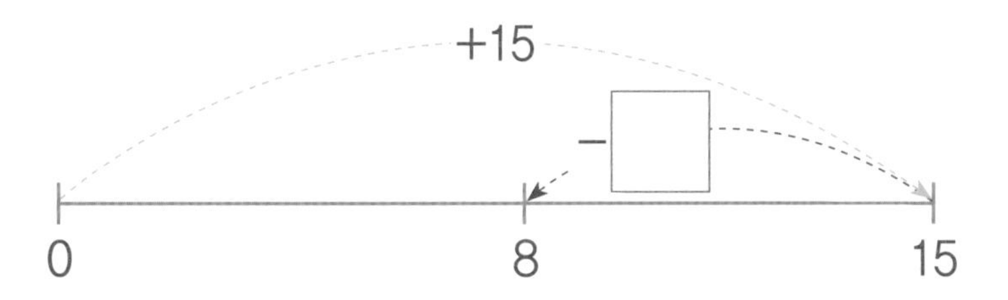

15 - □ = 8

수직선을 보고, □안에 알맞은 수를 써넣으세요.

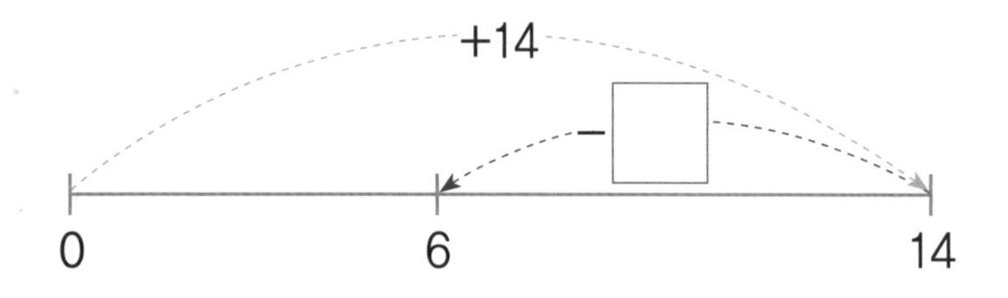

14 - [8] = 6

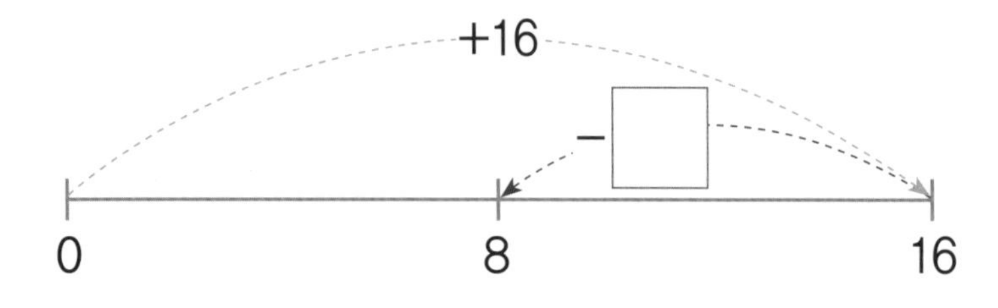

16 - [ ] = 8

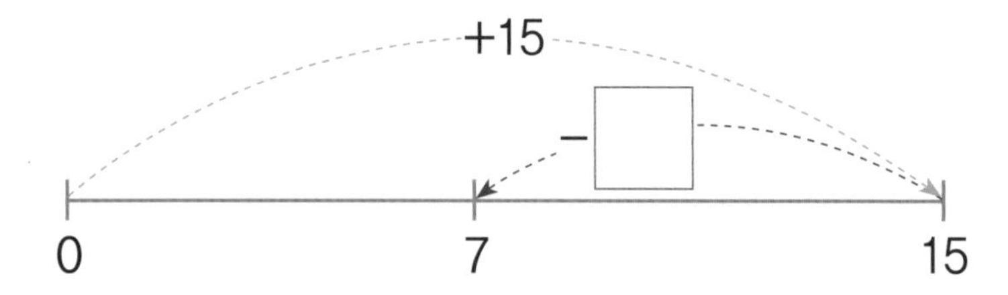

15 - [ ] = 7

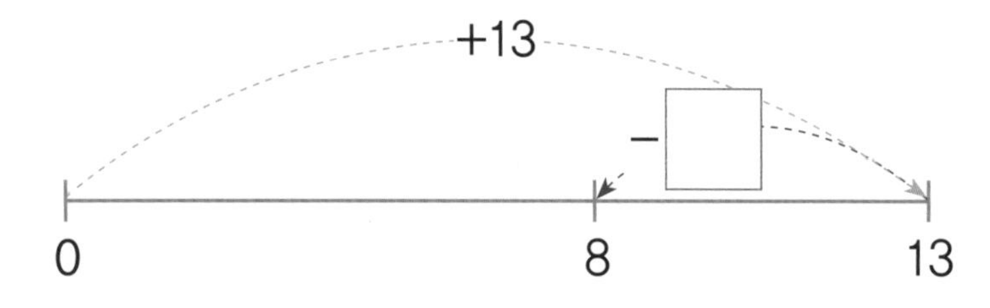

13 - [ ] = 8

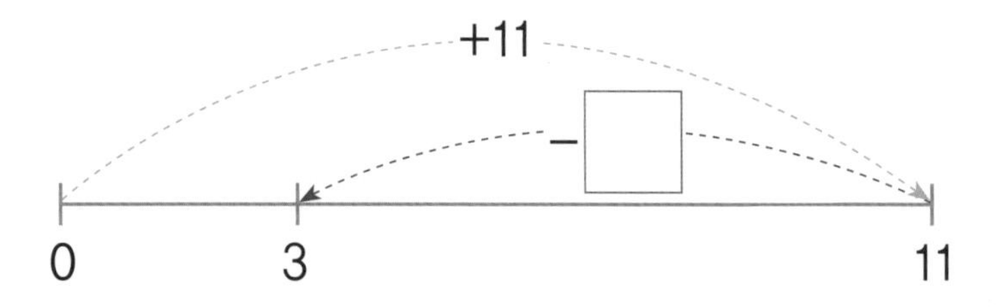

11 - [ ] = 3

수 막대를 보고, □안에 알맞은 수를 써넣으세요.

11	
10	1

11 − 1 = 10

14	
8	□

11	
7	□

12	
5	□

15	
8	□

11	
4	□

12	
5	□

13	
7	□

11	
3	□

14	
7	□

수 상자

 빈칸에 알맞은 수를 써넣으세요.

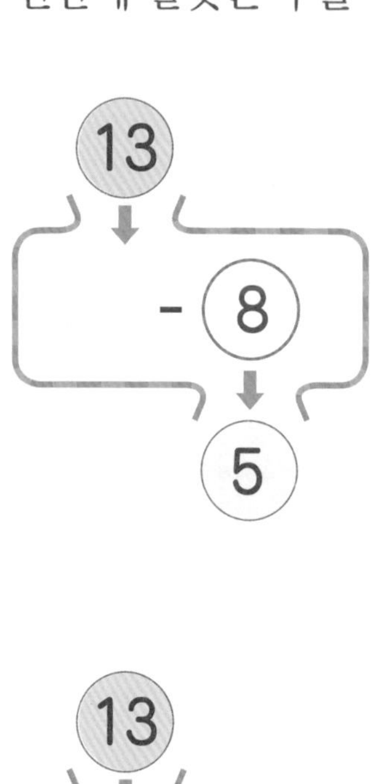

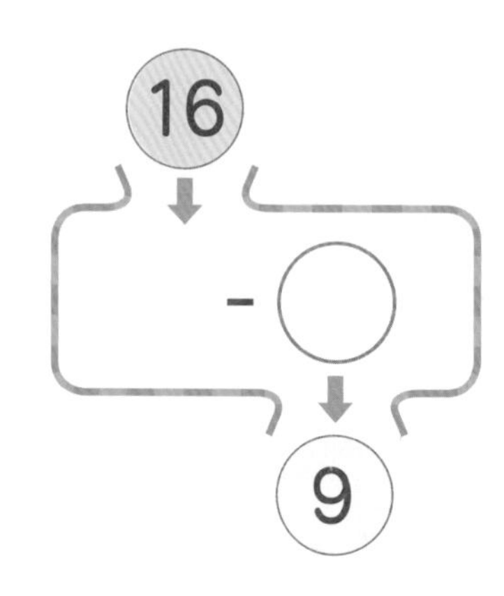

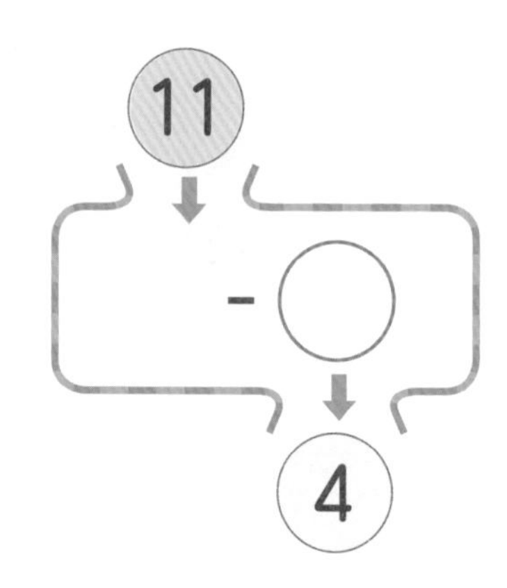

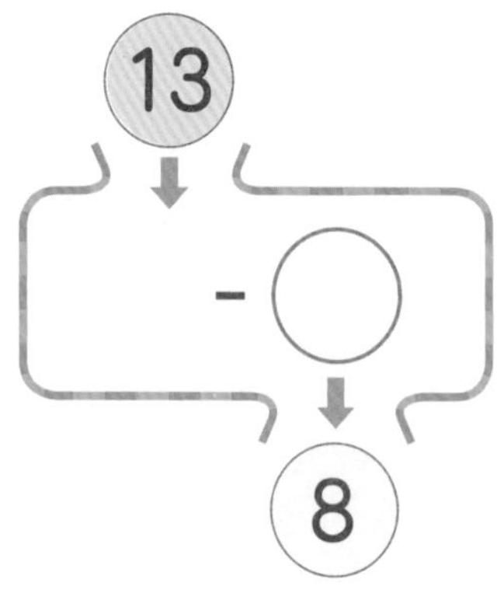

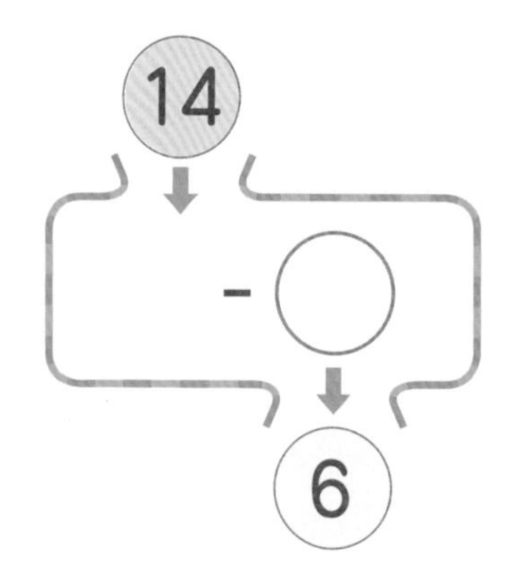

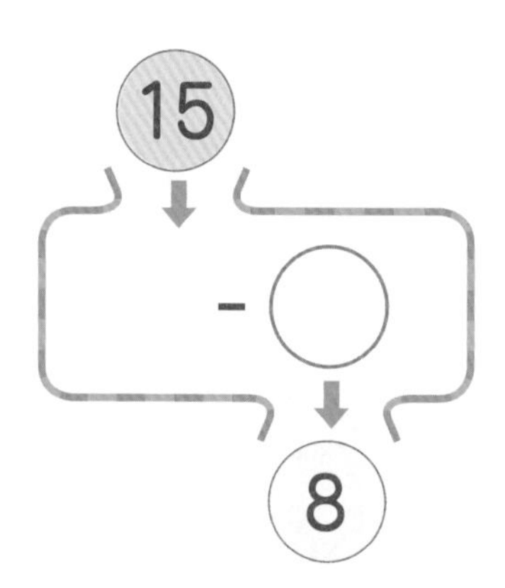

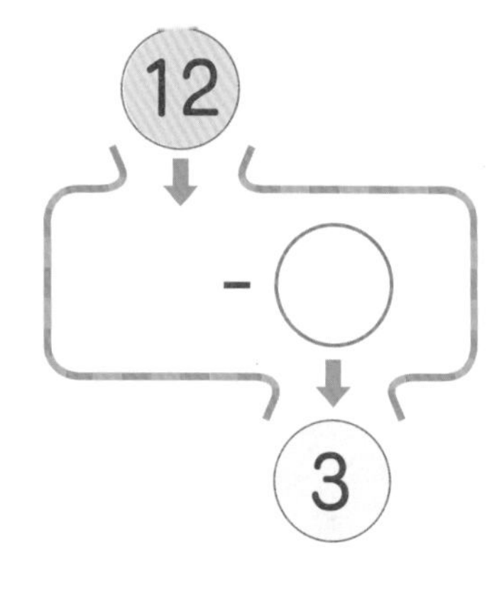

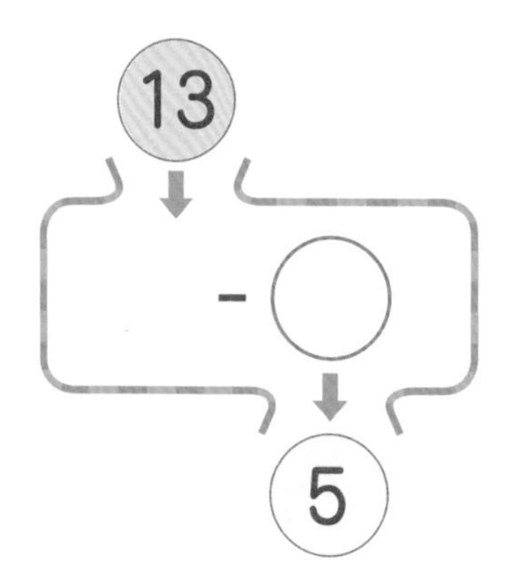

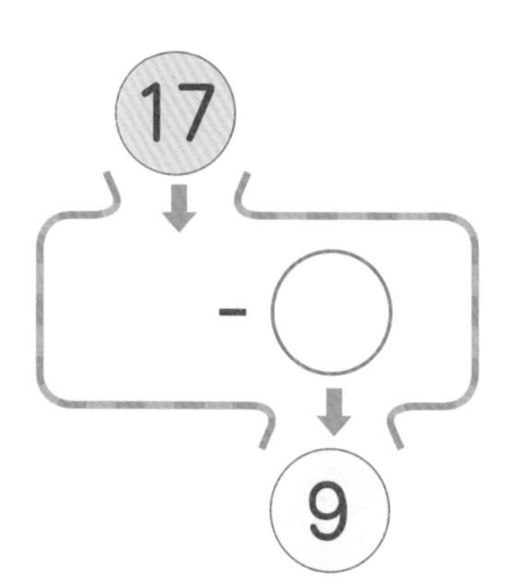

 빈칸에 알맞은 수를 써넣으세요.

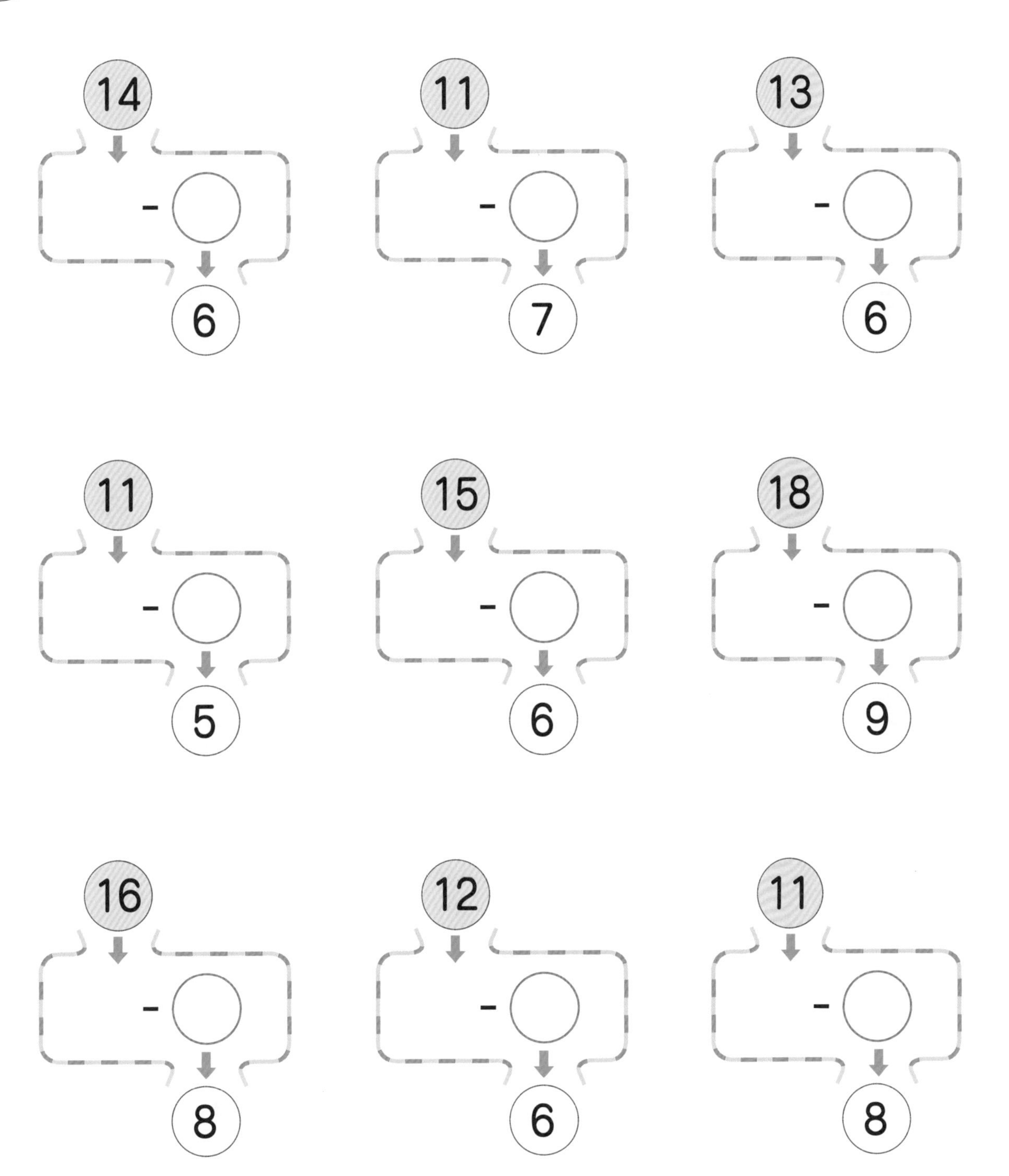

□ 구하기

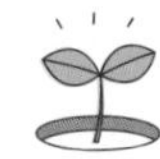

□안에 들어갈 수가 같은 식끼리 선으로 이어 보세요.

6 + 7 = 13 •	• 18 − □ = 9
9 + □ = 13 •	• 11 − □ = 5
8 + □ = 10 •	• 15 − 7 = 8
6 + □ = 12 •	• 12 − □ = 8
8 + □ = 17 •	• 10 − □ = 5
7 + □ = 12 •	• 11 − □ = 9

□안에 들어갈 수로 알맞은 것을 찾아 길을 그려 보세요.

12-□=6 6 18-□=9 9 11-□=3 5

4 7 8

15-□=8 8 11-□=6 9 17-□=8 7

5 5 6

13-□=4 6 16-□=8 8 13-□=8 5

2 5 10

15-□=6 4 13-□=5 8 11-□=9 7

9 7 2

□가 있는 식 만들기

이야기를 읽고 □를 사용하여 식을 만들고, □를 구하세요.

승환이가 상희네 집에 놀러갔습니다. 상희는 도미노 놀이를 하고 있었습니다.
"승환아! 도미노 놀이 같이 할래?"
두 사람은 도미노를 조심조심 세우기 시작했습니다.
그런데 도미노를 15개 세웠을 때, 상희가 도미노를 발로 건드리는 바람에 도미노 몇 개가 쓰러지고 말았습니다.
넘어지지 않은 남은 도미노를 세어봤더니 8개였다면, 상희가 건드려서 쓰러진 도미노는 몇 개일까요?

식 : 15 − □ = 8

 개

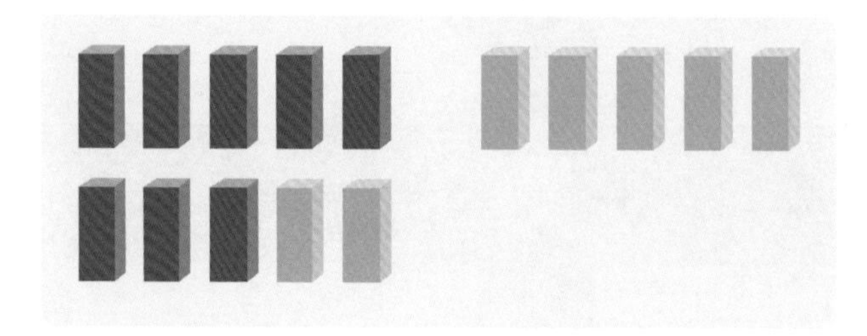

 다음을 읽고 □를 사용하여 식을 만들고, □를 구하세요.

바둑판 위에 바둑돌이 모두 14개 있습니다. 검은색 바둑돌을 모두 숨겼더니 흰색 바둑돌이 6개 남았습니다. 숨긴 검은색 바둑돌은 몇 개일까요?

식 : 　　　　　　　　　　　　 □개

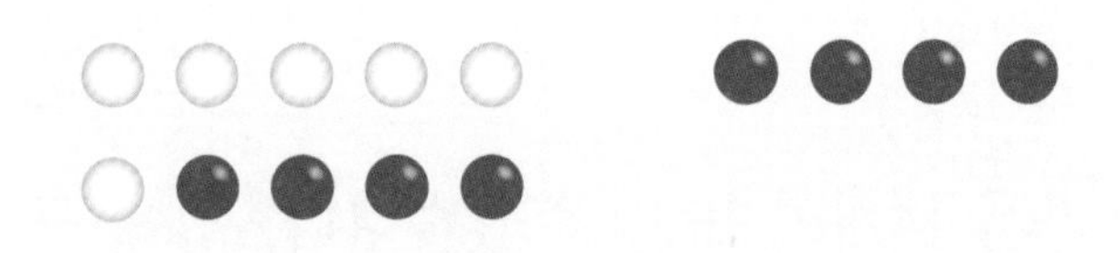

승주는 초콜릿 13개를 샀습니다. 그 중 몇 개를 먹었더니 5개가 남았습니다. 승주가 먹은 초콜릿은 몇 개일까요?

식 : 　　　　　　　　　　　　 □개

다음을 읽고 □를 사용하여 식을 만들고, □를 구하세요.

현지는 사탕을 11개 가지고 있습니다. 몇 개를 친구들과 나누어 먹고 나니 사탕이 5개 남았습니다. 현지가 친구들과 나누어 먹은 사탕은 몇 개일까요?

식 :

□ 개

지훈이가 산에 가서 14개의 밤을 주웠습니다. 집에 돌아와 밤을 깠더니 몇 개는 썩어서 먹을 수 없고, 6개는 먹을 수 있었습니다. 지훈이가 딴 밤 중 먹을 수 없는 밤은 몇 개일까요?

식 :

□ 개

수정이는 어제 수학 문제 16개를 풀었습니다. 채점을 한 결과 몇 개는 틀리고, 7개를 맞혔다면 틀린 문제는 몇 개일까요?

식 :

□ 개

다음을 읽고 □를 사용하여 식을 만들고, □를 구하세요.

민지가 엄마 심부름으로 계란 16개를 사왔습니다. 그런데, 집에 와서 보니 몇 개는 깨져있고 9개는 깨지지 않았습니다. 민지가 사온 계란 중 깨진 계란은 몇 개일까요?

식 :

개

수정이는 장식용 리본 12개를 가지고 있습니다. 크리스마스에 친구들의 선물을 포장하는데 몇 개를 사용했더니 7개가 남았습니다. 수정이가 사용한 장식용 리본은 몇 개일까요?

식 :

개

주영이와 아빠가 낚시를 하러 가서 물고기 17마리를 잡았습니다. 몇 마리는 너무 작아서 놓아주고, 남은 물고기 8마리는 집에 가지고 왔습니다. 주영이가 놓아준 물고기는 몇 마리일까요?

식 :

마리

Note

소마셈 A4 – 3주차

□ – 어떤 수

□ – 어떤 수

그림을 보고 □안에 알맞은 수를 써넣어, ★이 나타내는 수를 구하세요.

★ - 8 = 4

★ = 4 + 8

= 12

★ - 6 = 3

★ = □ + □

= □

★ - 4 = 6

★ = □ + □

= □

TIP

★-8=4일 때, 4보다 8 큰 수를 찾아서 ★을 구할 수 있습니다.

그림을 보고 □안에 알맞은 수를 써넣어, ★이 나타내는 수를 구하세요.

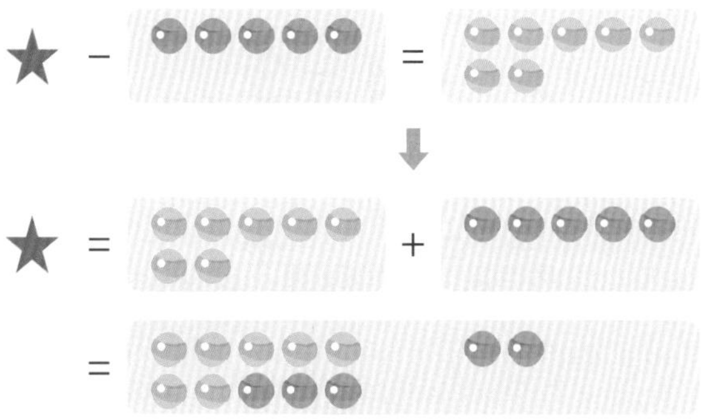

★ - 5 = 7

★ = □ + □

= □

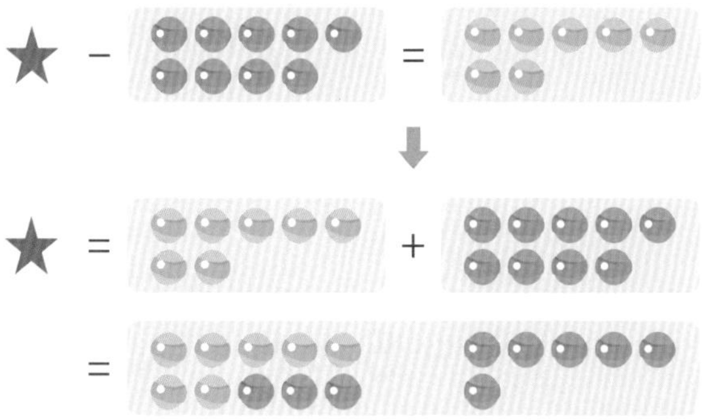

★ - 9 = 7

★ = □ + □

= □

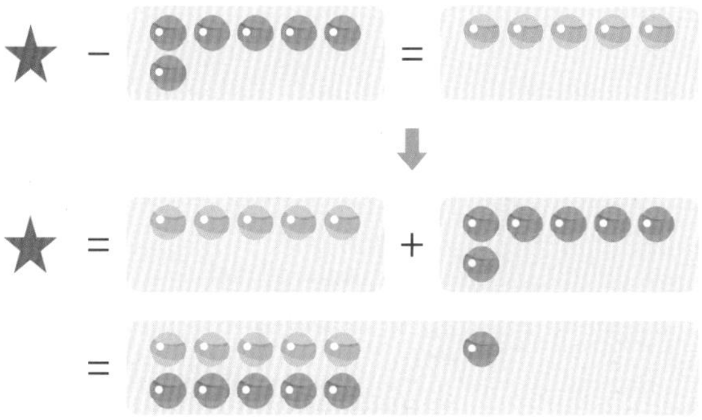

★ - 6 = 5

★ = □ + □

= □

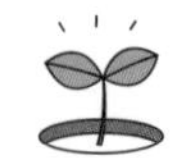
□안에 알맞은 수를 써넣어, △가 나타내는 수를 구하세요.

△ - 6 = 3

△ = 3 + 6 = 9

△ - 4 = 3

△ = □ + □ = □

△ - 4 = 8

△ = □ + □ = □

△ - 7 = 5

△ = □ + □ = □

△ - 6 = 5

△ = □ + □ = □

△ - 5 = 8

△ = □ + □ = □

△ - 9 = 2

△ = □ + □ = □

△ - 4 = 9

△ = □ + □ = □

수직선

수직선을 보고, □안에 알맞은 수를 써넣으세요.

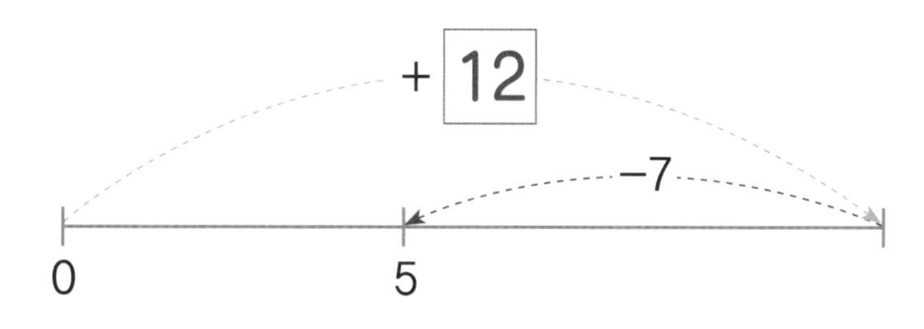

12 - 7 = 5

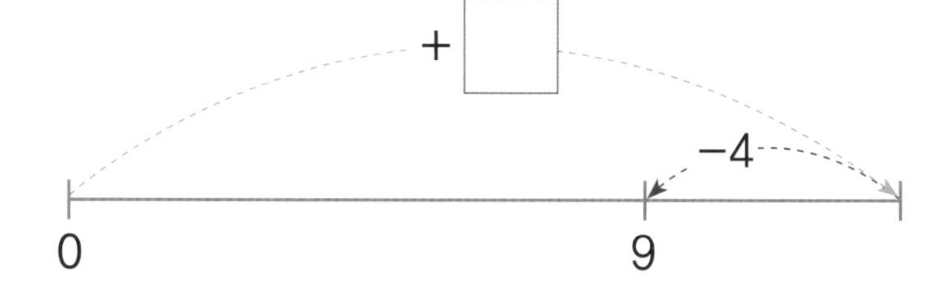

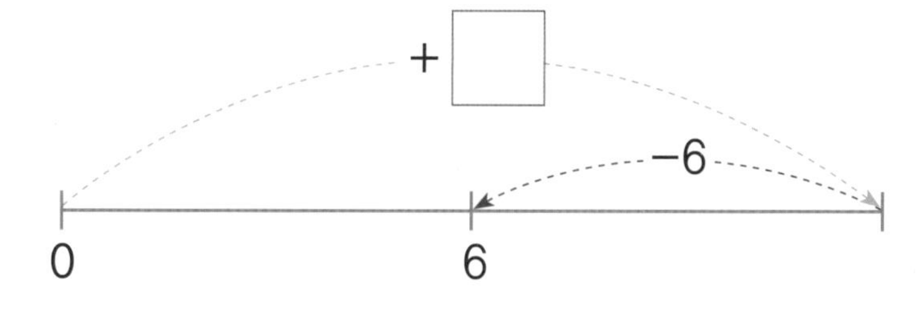

□ - 6 = 6

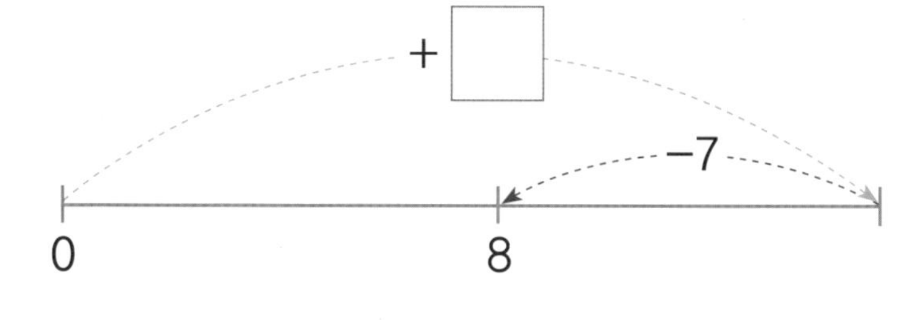

□ - 7 = 8

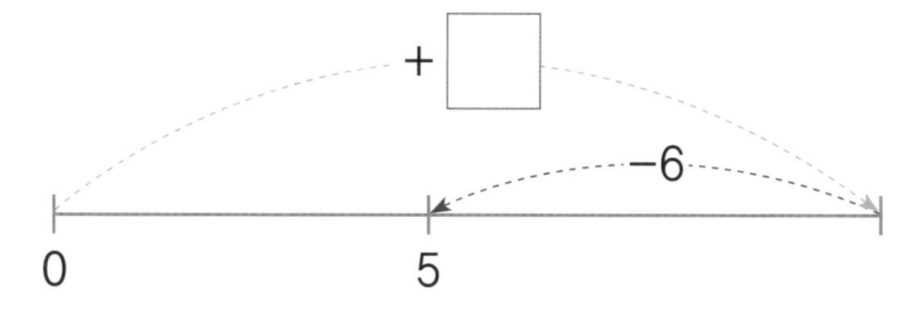

□ - 6 = 5

 수직선을 보고, □안에 알맞은 수를 써넣으세요.

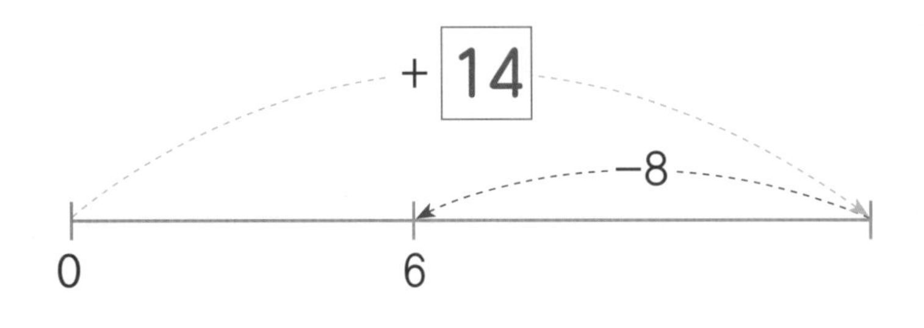

14 - 8 = 6

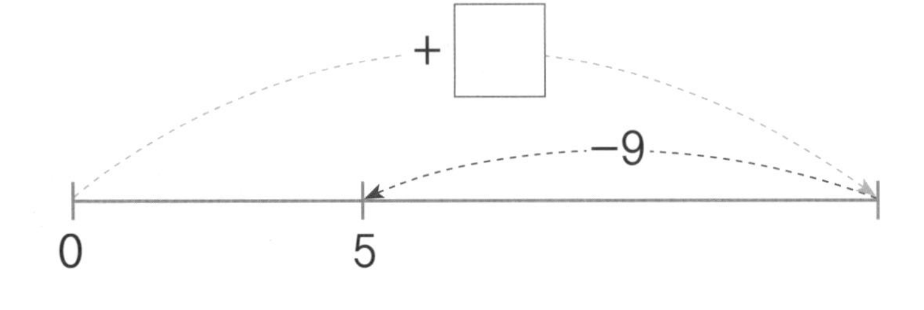

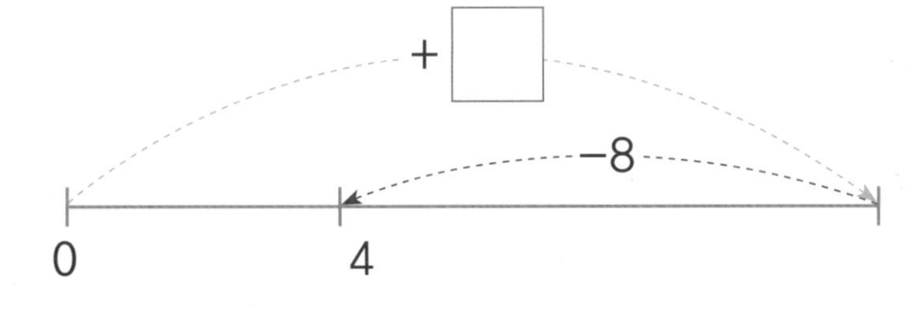

□ - 8 = 4

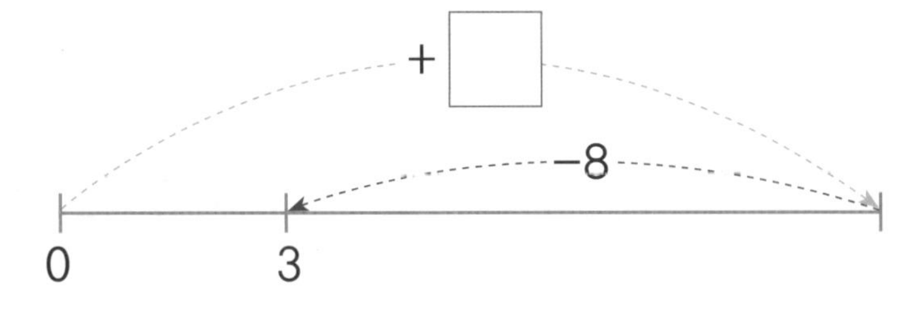

□ - 8 = 3

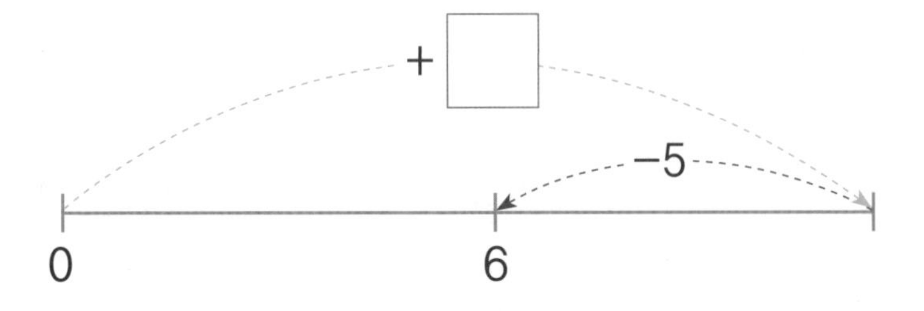

□ - 5 = 6

수직선을 보고, □안에 알맞은 수를 써넣으세요.

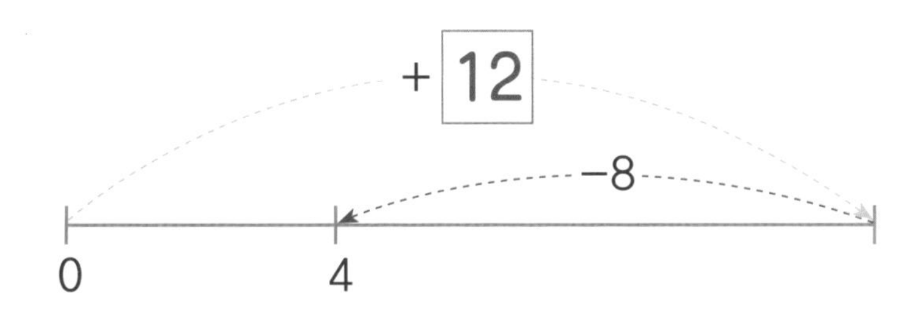

12 - 8 = 4

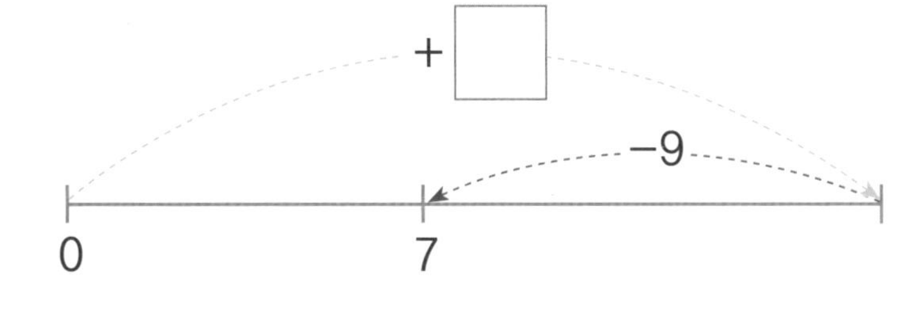

□ - 9 = 7

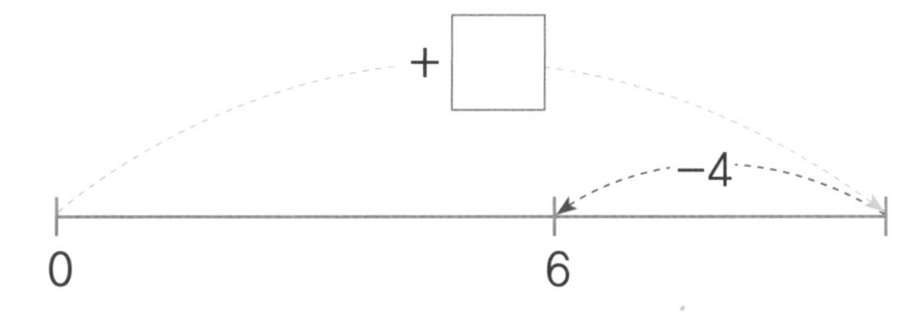

□ - 4 = 6

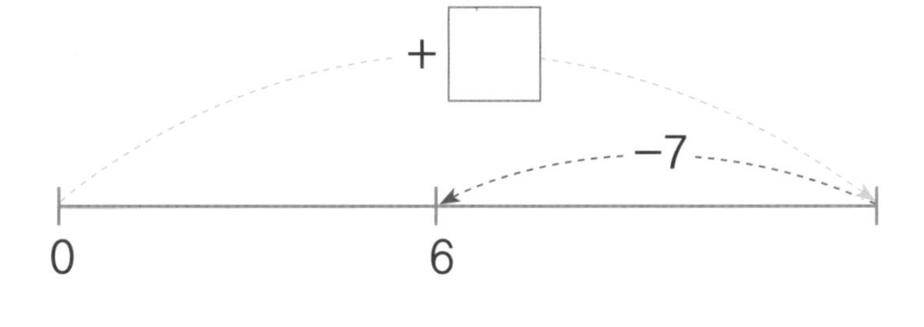

□ - 7 = 6

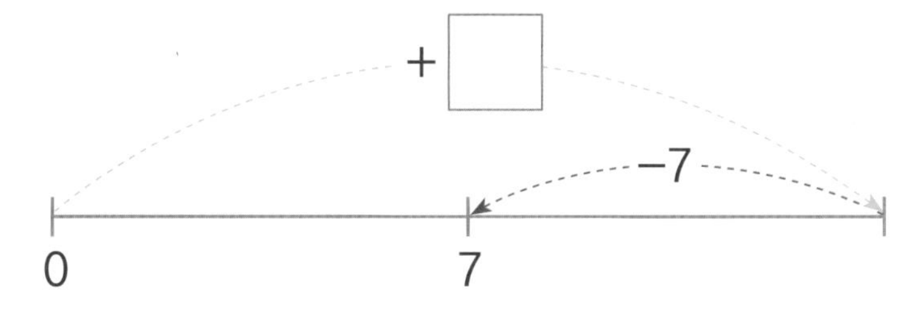

□ - 7 = 7

수 상자

빈칸에 알맞은 수를 써넣으세요.

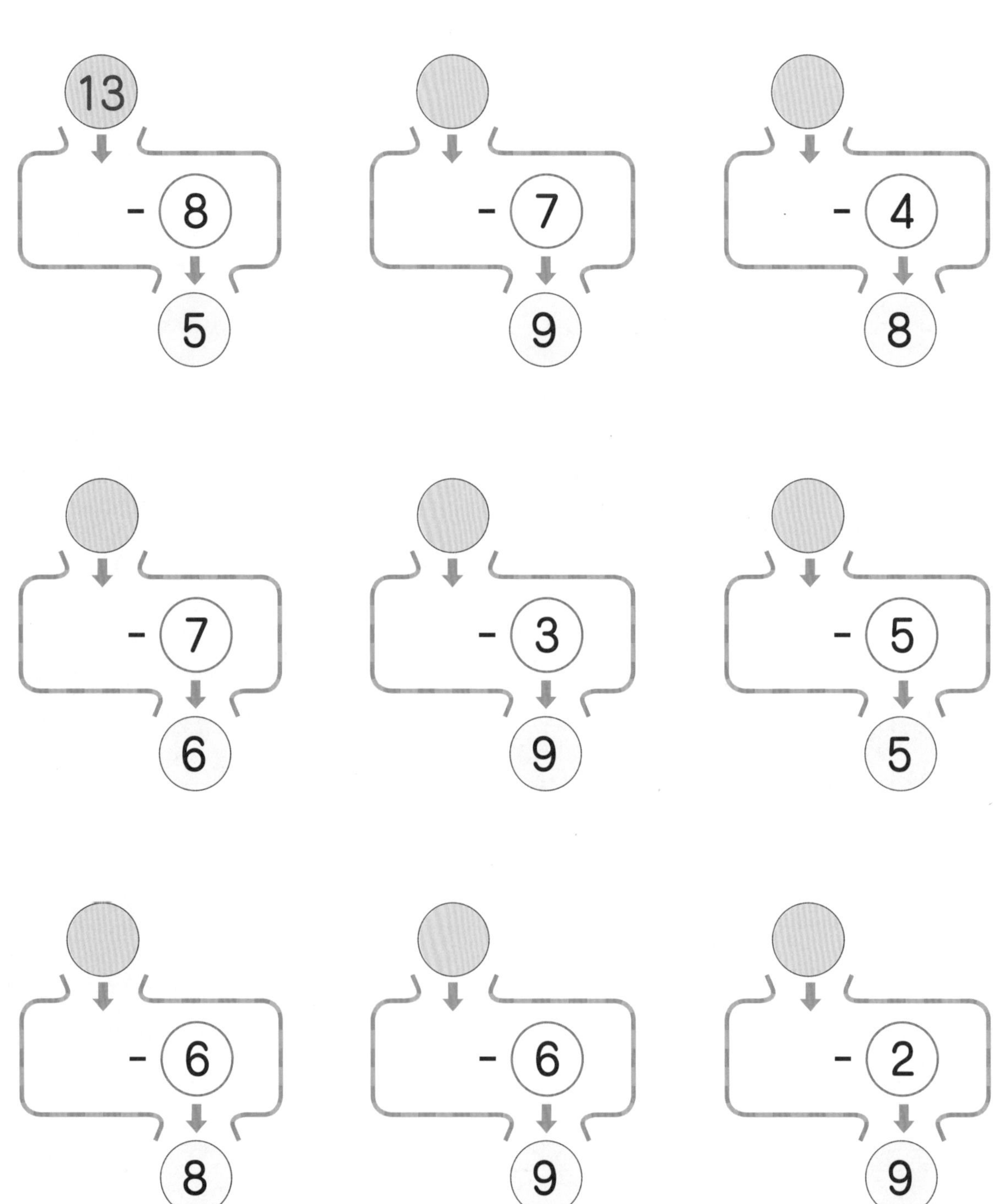

 빈칸에 알맞은 수를 써넣으세요.

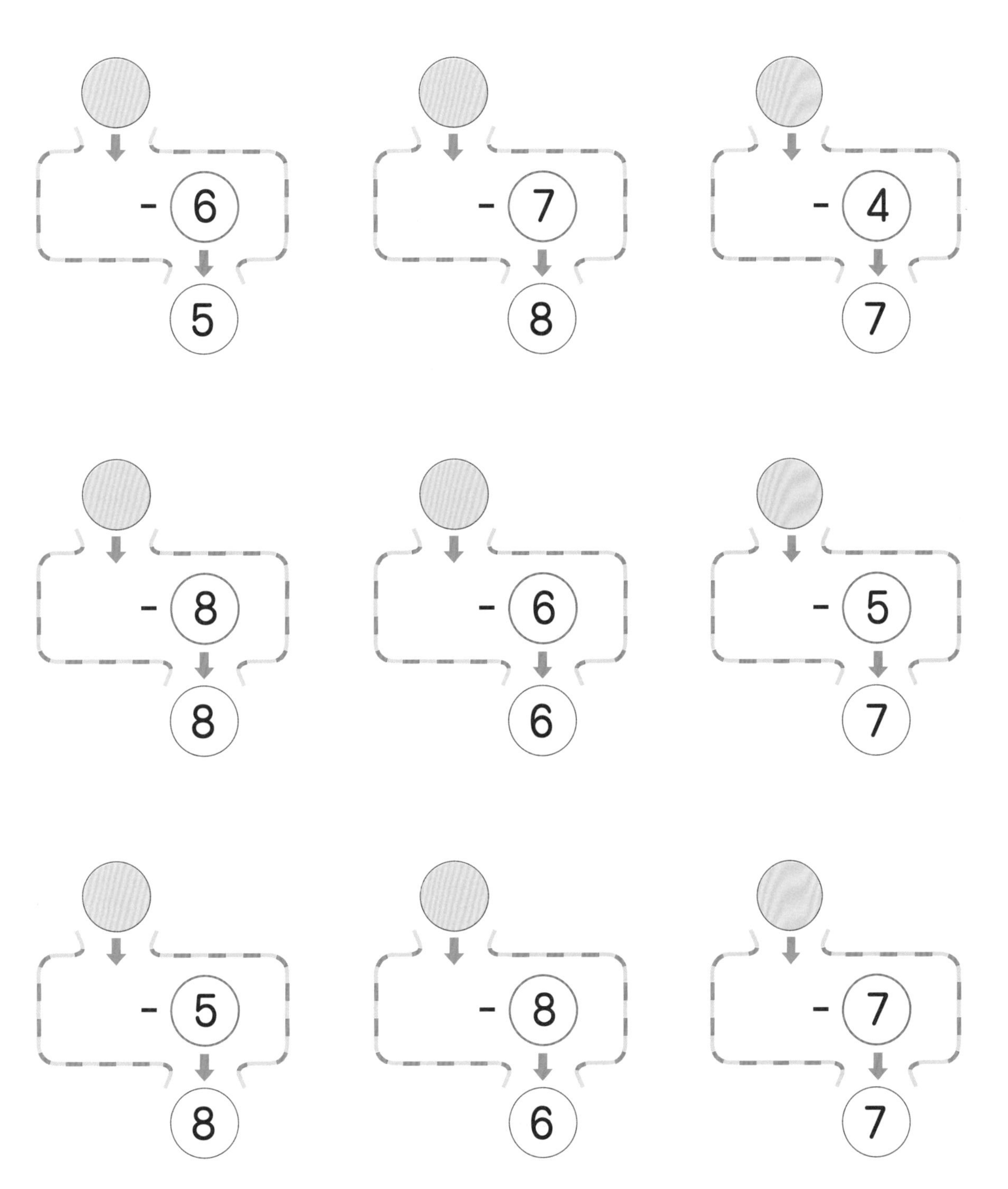

4 일차 도형이 나타내는 수

식에서 같은 도형은 같은 수를, 다른 도형은 서로 다른 수를 나타냅니다.
식을 보고 도형이 나타내는 수를 찾아보세요.

■(5) + 8 = 13 4 + ▲(8) = 12 ●(13) - ■(5) = ▲(8)

■ = 5 ▲ = 8 ● = 13

■ - 2 = 9 4 + ▲ = ■ ■ - ▲ = ●

■ = □ ▲ = □ ● = □

■ + 6 = 15 11 - ▲ = 5 ● - ■ = ▲

■ = □ ▲ = □ ● = □

TIP

어떤 도형이 나타내는 수를 찾았을 때, 그 수를 다른 식에 있는 같은 도형에 써넣어 다른 도형이 나타내는 수를 찾을 수 있습니다.

식에서 같은 도형은 같은 수를, 다른 도형은 서로 다른 수를 나타냅니다.
식을 보고 도형이 나타내는 수를 찾아보세요.

♥ - 6 = 13　　15 + ★ = ♥　　♥ - ★ = ◆

♥ = □　　★ = □　　◆ = □

5 + ♥ = 11　　14 - ★ = ♥　　◆ - ♥ = ★

♥ = □　　★ = □　　◆ = □

♥ + 8 = 13　　♥ + ★ = 12　　★ - ♥ = ◆

♥ = □　　★ = □　　◆ = □

♥ + 5 = 14　　13 - ★ = 10　　◆ - ♥ = ★

♥ = □　　★ = □　　◆ = □

□가 있는 식 만들기

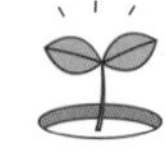

이야기를 읽고 □를 사용하여 식을 만들고, □를 구하세요.

지난주에 지인이는 심하게 감기를 앓았습니다. 하지만 아이스크림을 좋아하는 지인이는 감기가 낫자마자 가게로 달려가 아이스크림을 여러 개 사왔습니다.
지인이는 사온 아이스크림 중 7개를 오빠와 함께 먹었습니다.
아이스크림을 먹고 냉장고에 남은 아이스크림을 세어봤더니 5개가 있었습니다.
지인이가 처음에 사온 아이스크림은 모두 몇 개일까요?

식 : □ − 7 = 5

 개

 다음을 읽고 □를 사용하여 식을 만들고, □를 구하세요.

일요일 오후에 몇 명의 친구들이 도서관에 모여서 공부를 하고 있습니다. 저녁이 되자 5명은 집으로 돌아갔고, 아직까지 남아있는 친구는 8명입니다. 오후에 도서관에 모인 친구는 모두 몇 명일까요?

식 : □ − 5 = 8

 명

호진이가 태권도장에서 기와를 깨는 시범을 보입니다. 기와를 포개어 놓고 격파를 했더니 7장의 기와가 깨지고 남은 기와는 4장입니다. 격파를 하기 위해 쌓아놓은 기와는 모두 몇 장일까요?

식 :

 장

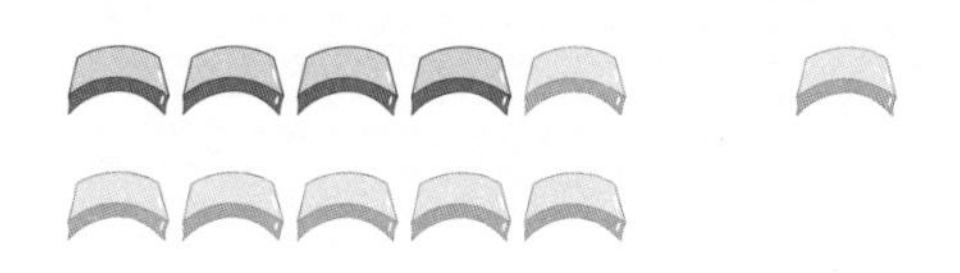

다음을 읽고 □를 사용하여 식을 만들고, □를 구하세요.

주영이가 집으로 가는 길에 붕어빵을 몇 개 샀습니다. 그런데 배가 고파서 붕어빵을 사자마자 4개를 먹었습니다. 집에 와서 보니 남은 붕어빵이 8개였다면 처음에 산 붕어빵은 모두 몇 개일까요?

식 : 　　　　　　　　　　　　　　　　　　　　개

접시에 귤이 여러 개 있습니다. 귤 6개를 까먹고 남은 귤을 세어보니 7개입니다. 처음에 접시에 있던 귤은 모두 몇 개일까요?

식 : 　　　　　　　　　　　　　　　　　　　　개

오중이가 수학 문제 몇 개를 풀었습니다. 채점을 해보니 7개를 틀렸고, 남은 문제 9개는 맞혔습니다. 오중이가 푼 수학 문제는 모두 몇 개일까요?

식 : 　　　　　　　　　　　　　　　　　　　　개

다음을 읽고 □를 사용하여 식을 만들고, □를 구하세요.

지선이네 반에서 안경을 쓰는 학생은 9명이고, 남은 6명은 안경을 쓰지 않습니다. 지선이네 반 학생은 모두 몇 명일까요?

식 :

명

엄마가 주호에게 사탕 몇 개를 주었습니다. 그 중 6개를 먹고 남은 사탕이 6개라면 처음에 엄마가 주호에게 준 사탕은 모두 몇 개일까요?

식 :

개

책상에 연필이 몇 자루 있습니다. 그 중 4자루를 필통에 넣고 남은 연필을 세어보니 9자루였습니다. 처음 책상에 있었던 연필은 모두 몇 자루일까요?

식 :

자루

Note

소마셈 A4 – 4주차

식 만들기

목표수 만들기 (1)

수 카드를 한 번씩 사용하여 목표수를 만들려고 합니다. 알맞은 수 카드 두 장을 찾아 ○표 하고, 덧셈식을 완성하세요.

(7) 9 (5) — 7 + 5 = 12, 5 + 7 = 12

5 3 9 — □ + □ = 14, □ + □ = 14

3 5 6 — □ + □ = 11, □ + □ = 11

2 6 8 — □ + □ = 10, □ + □ = 10

9 5 3 — □ + □ = 12, □ + □ = 12

목표수 만들기, 식 만들기와 같이 주어진 수로 조건에 맞는 식을 만드는 문제는 아이들이 어려워할 만한 소재이지만 한 문제를 해결하면서 여러 계산과정을 연습할 수 있어, 수와 연산의 감각을 키우는 데 도움이 됩니다.

수 카드를 한 번씩 사용하여 목표수를 만들려고 합니다. 알맞은 수 카드 두 장을 찾아 ○표 하고, 뺄셈식을 완성하세요.

4	(7)	8	(1)

7 - 1 = 6

5	8	2	15

☐ - ☐ = 7

6	4	10	13

☐ - ☐ = 7

9	6	2	8

☐ - ☐ = 6

6	4	3	10

☐ - ☐ = 4

7	4	12	8

☐ - ☐ = 5

식 만들기

수 카드 세 장을 모두 사용하여 덧셈식을 완성하세요.

수 카드	덧셈식
7 12 5	7 + 5 = 12, 5 + 7 = 12
3 6 9	□ + □ = □, □ + □ = □
5 6 1	□ + □ = □, □ + □ = □
15 6 9	□ + □ = □, □ + □ = □
11 5 6	□ + □ = □, □ + □ = □
7 11 4	□ + □ = □, □ + □ = □

수 카드 세 장을 모두 사용하여 뺄셈식을 완성하세요.

5	2	7

7 - 5 = 2, 7 - 2 = 5

6	3	9

□ - □ = □, □ - □ = □

8	11	3

□ - □ = □, □ - □ = □

4	12	8

□ - □ = □, □ - □ = □

7	4	11

□ - □ = □, □ - □ = □

5	8	13

□ - □ = □, □ - □ = □

합과 차 만들기

두 수의 차가 ▲안의 수가 되도록 알맞은 수 카드 두 장을 찾아 ○표 하세요.

14 − 8 = 6

세 수의 합이 ▲안의 수가 되도록 알맞은 수 카드 세 장을 찾아 ○표 하세요.

목표수 만들기 (2)

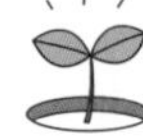
수 카드 세 장을 모두 사용하여 식을 완성하세요.

수 카드	식
1 7 5	7 + 5 - 1 = 11
6 8 1	□ + 6 - □ = 13
2 5 9	5 + □ - □ = 12
3 2 8	□ - 3 + □ = 7
7 4 8	4 + □ - □ = 5
4 3 10	□ - □ + 4 = 11

수 카드 세 장을 모두 사용하여 식을 완성하세요.

수 카드	식
4, 8, 7	8 + 7 - 4 = 11
5, 3, 9	□ + 9 - □ = 7
6, 5, 10	10 + □ - □ = 11
9, 6, 2	□ - 6 + □ = 5
4, 12, 7	12 - □ + □ = 9
6, 1, 9	□ + 9 - □ = 14

삼각형 덧셈

선으로 이어진 ◯안의 두 수의 합이 □ 안의 수가 되도록 빈칸에 알맞은 수를 써넣으세요.

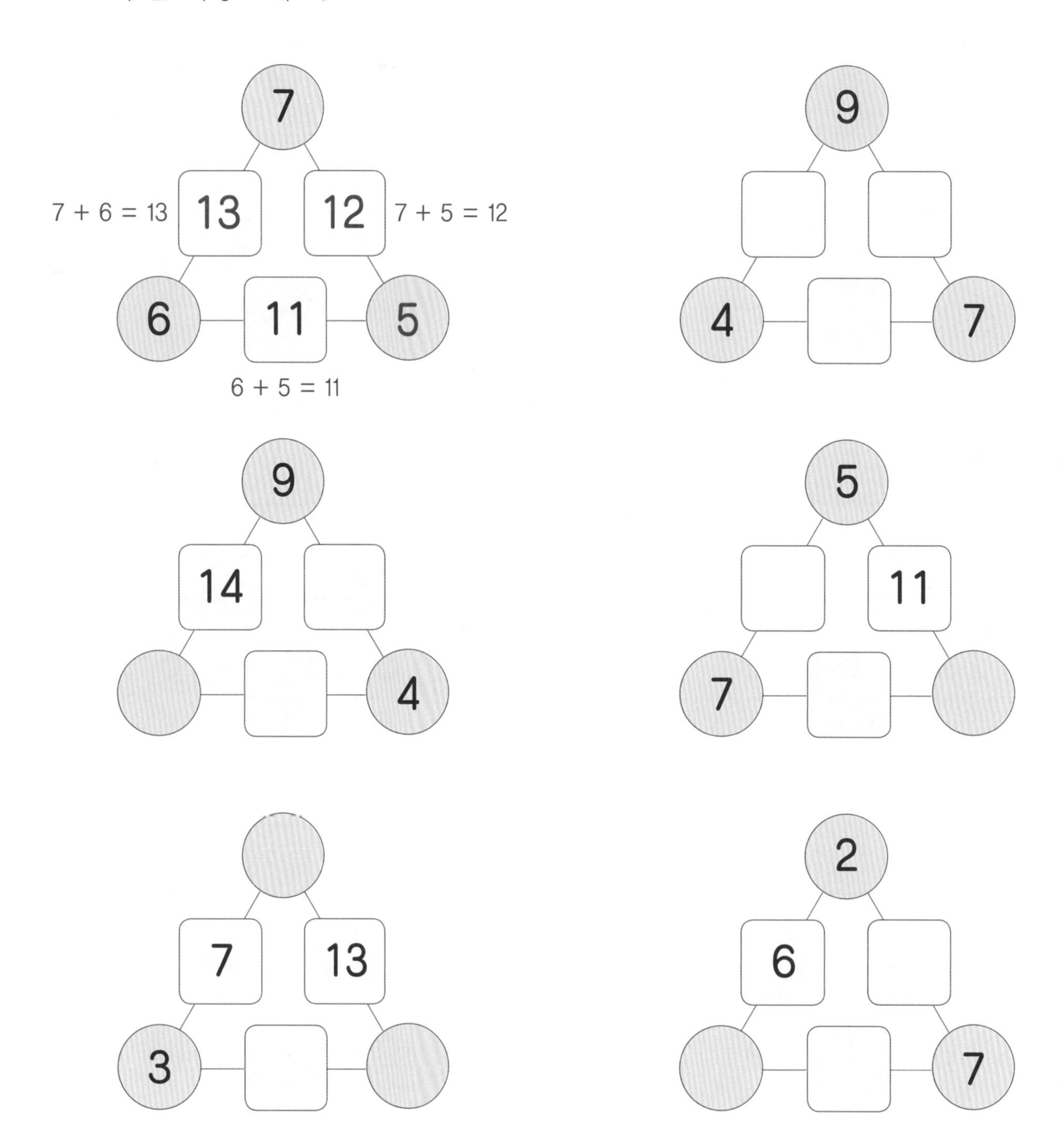

각 줄의 ▲안의 세 수의 합이 ◯안의 수가 되도록 빈칸에 알맞은 수를 써 넣으세요.

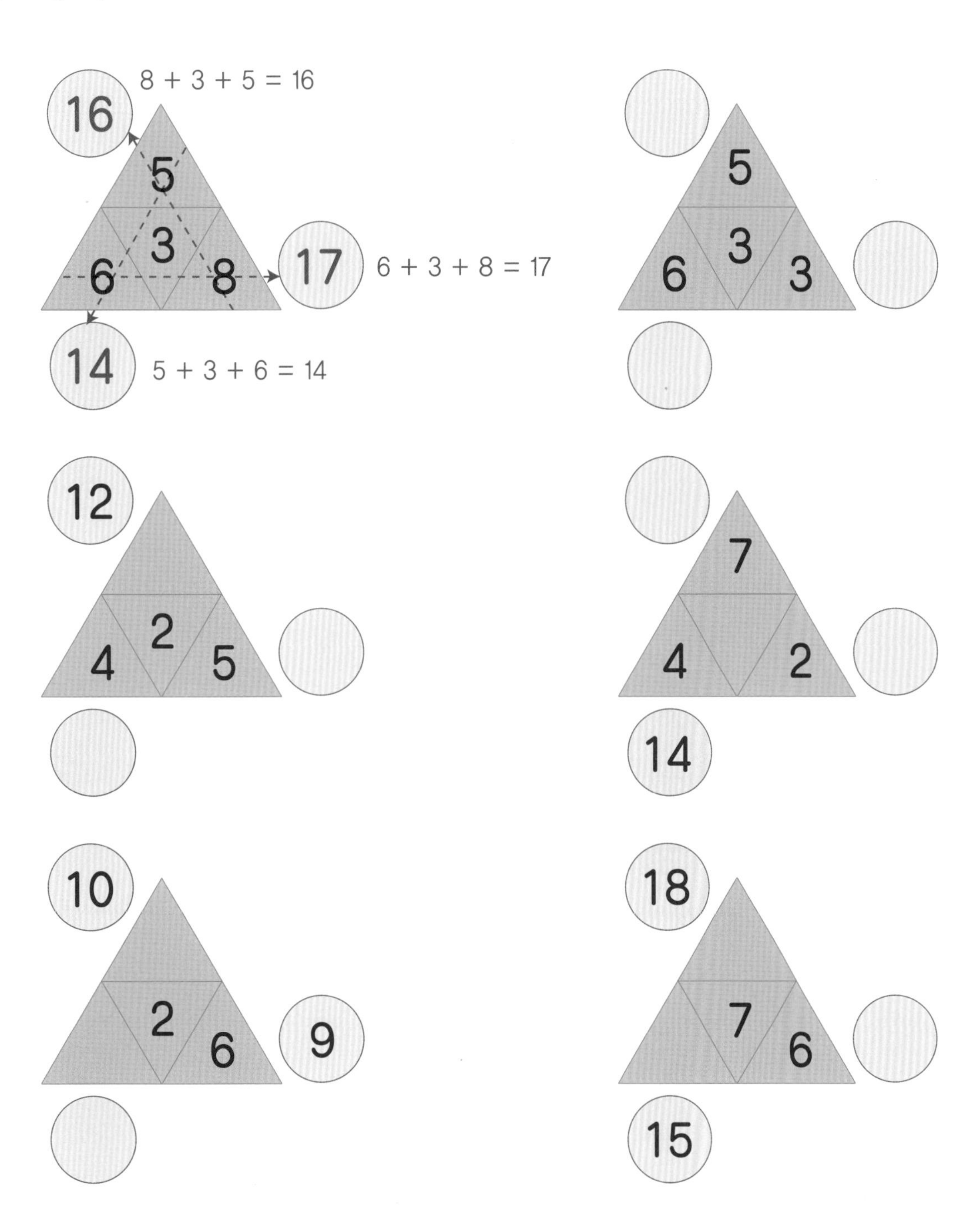

Note

보충학습

Drill

어떤 수 + □

□ 안에 알맞은 수를 써넣어, △가 나타내는 수를 구하세요.

$5 + \triangle = 9$

$\triangle = \square - \square = \square$

$4 + \triangle = 7$

$\triangle = \square - \square = \square$

$7 + \triangle = 14$

$\triangle = \square - \square = \square$

$6 + \triangle = 12$

$\triangle = \square - \square = \square$

$\triangle + 6 = 15$

$\triangle = \square - \square = \square$

$\triangle + 4 = 13$

$\triangle = \square - \square = \square$

$\triangle + 7 = 16$

$\triangle = \square - \square = \square$

$\triangle + 9 = 15$

$\triangle = \square - \square = \square$

□ 안에 알맞은 수를 써넣으세요.

$6 + \square = 12$

$5 + \square = 9$

$5 + \square = 12$

$7 + \square = 11$

$3 + \square = 10$

$9 + \square = 13$

$1 + \square = 9$

$\square + 4 = 11$

$\square + 8 = 16$

$\square + 6 = 11$

$\square + 4 = 12$

$\square + 5 = 14$

$\square + 7 = 14$

$\square + 7 = 16$

□ 안에 알맞은 수를 써넣어, ▲가 나타내는 수를 구하세요.

$4 + \blacktriangle = 9$

$\blacktriangle = \square - \square = \square$

$3 + \blacktriangle = 10$

$\blacktriangle = \square - \square = \square$

$6 + \blacktriangle = 12$

$\blacktriangle = \square - \square = \square$

$5 + \blacktriangle = 14$

$\blacktriangle = \square - \square = \square$

$\blacktriangle + 3 = 11$

$\blacktriangle = \square - \square = \square$

$\blacktriangle + 5 = 12$

$\blacktriangle = \square - \square = \square$

$\blacktriangle + 7 = 13$

$\blacktriangle = \square - \square = \square$

$\blacktriangle + 6 = 15$

$\blacktriangle = \square - \square = \square$

□ 안에 알맞은 수를 써넣으세요.

$4 + \square = 12$

$8 + \square = 9$

$6 + \square = 10$

$5 + \square = 11$

$4 + \square = 11$

$7 + \square = 12$

$8 + \square = 15$

$\square + 6 = 12$

$\square + 6 = 11$

$\square + 7 = 15$

$\square + 3 = 11$

$\square + 7 = 13$

$\square + 5 = 12$

$\square + 9 = 15$

어떤 수 - □

□ 안에 알맞은 수를 써넣어, ▲가 나타내는 수를 구하세요.

$7 - ▲ = 3$

▲ = □ - □ = □

$9 - ▲ = 2$

▲ = □ - □ = □

$17 - ▲ = 9$

▲ = □ - □ = □

$13 - ▲ = 4$

▲ = □ - □ = □

$15 - ▲ = 6$

▲ = □ - □ = □

$12 - ▲ = 9$

▲ = □ - □ = □

$11 - ▲ = 3$

▲ = □ - □ = □

$16 - ▲ = 9$

▲ = □ - □ = □

□ 안에 알맞은 수를 써넣으세요.

$12 - \square = 5$

$14 - \square = 7$

$13 - \square = 7$

$14 - \square = 8$

$14 - \square = 9$

$9 - \square = 3$

$11 - \square = 9$

$11 - \square = 7$

$16 - \square = 8$

$13 - \square = 9$

$14 - \square = 8$

$14 - \square = 7$

$16 - \square = 8$

$12 - \square = 6$

□ 안에 알맞은 수를 써넣어, ▲가 나타내는 수를 구하세요.

8 - ▲ = 5

▲ = □ - □ = □

9 - ▲ = 6

▲ = □ - □ = □

15 - ▲ = 6

▲ = □ - □ = □

10 - ▲ = 7

▲ = □ - □ = □

14 - ▲ = 8

▲ = □ - □ = □

13 - ▲ = 8

▲ = □ - □ = □

12 - ▲ = 9

▲ = □ - □ = □

17 - ▲ = 8

▲ = □ - □ = □

□ 안에 알맞은 수를 써넣으세요.

11 - □ = 6

12 - □ = 8

13 - □ = 6

12 - □ = 9

11 - □ = 7

10 - □ = 3

15 - □ = 9

9 - □ = 6

15 - □ = 8

11 - □ = 9

12 - □ = 5

14 - □ = 9

12 - □ = 6

13 - □ = 8

□ - 어떤 수

□ 안에 알맞은 수를 써넣어, ▲가 나타내는 수를 구하세요.

▲ - 3 = 5

▲ = □ + □ = □

▲ - 5 = 5

▲ = □ + □ = □

▲ - 6 = 6

▲ = □ + □ = □

▲ - 5 = 8

▲ = □ + □ = □

▲ - 3 = 7

▲ = □ + □ = □

▲ - 8 = 3

▲ = □ + □ = □

▲ - 6 = 7

▲ = □ + □ = □

▲ - 8 = 9

▲ = □ + □ = □

□ 안에 알맞은 수를 써넣으세요.

$\square - 5 = 9$

$\square - 6 = 8$

$\square - 6 = 4$

$\square - 8 = 7$

$\square - 8 = 9$

$\square - 3 = 5$

$\square - 5 = 8$

$\square - 7 = 3$

$\square - 5 = 7$

$\square - 4 = 9$

$\square - 7 = 7$

$\square - 7 = 6$

$\square - 6 = 9$

$\square - 4 = 6$

□ 안에 알맞은 수를 써넣어, ▲가 나타내는 수를 구하세요.

▲ - 5 = 7

▲ = □ + □ = □

▲ - 6 = 4

▲ = □ + □ = □

▲ - 4 = 8

▲ = □ + □ = □

▲ - 5 = 9

▲ = □ + □ = □

▲ - 2 = 8

▲ = □ + □ = □

▲ - 7 = 4

▲ = □ + □ = □

▲ - 4 = 4

▲ = □ + □ = □

▲ - 9 = 3

▲ = □ + □ = □

□ 안에 알맞은 수를 써넣으세요.

$\square - 4 = 4$

$\square - 8 = 3$

$\square - 5 = 4$

$\square - 6 = 7$

$\square - 7 = 9$

$\square - 6 = 8$

$\square - 4 = 8$

$\square - 9 = 5$

$\square - 7 = 7$

$\square - 3 = 8$

$\square - 2 = 7$

$\square - 4 = 6$

$\square - 6 = 8$

$\square - 5 = 7$

식 만들기

수 카드를 빈칸에 넣어 덧셈식을 완성하세요.

6	8	14

□ + □ = □, □ + □ = □

5	9	4

□ + □ = □, □ + □ = □

11	6	5

□ + □ = □, □ + □ = □

5	12	7

□ + □ = □, □ + □ = □

8	5	13

□ + □ = □, □ + □ = □

5	14	9

□ + □ = □, □ + □ = □

선으로 이어진 ◯ 안의 두 수의 합이 □ 안의 수가 되도록 빈칸에 알맞은 수를 써 넣으세요.

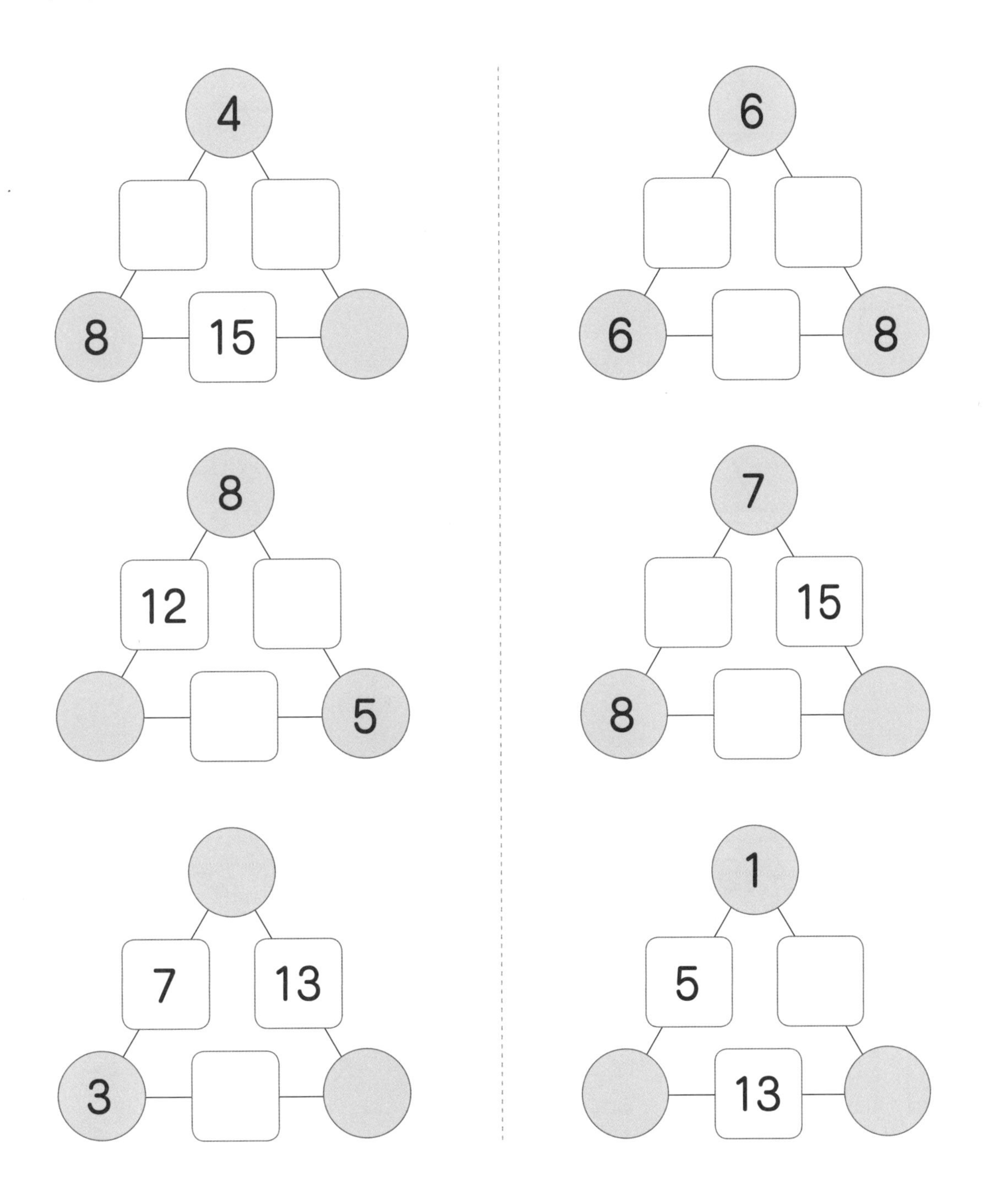

수 카드를 빈칸에 넣어 뺄셈식을 완성하세요.

수 카드	뺄셈식
11, 4, 7	□ - □ = □, □ - □ = □
9, 3, 6	□ - □ = □, □ - □ = □
6, 13, 7	□ - □ = □, □ - □ = □
4, 12, 8	□ - □ = □, □ - □ = □
7, 9, 16	□ - □ = □, □ - □ = □
15, 8, 7	□ - □ = □, □ - □ = □

선으로 이어진 ◎ 안의 두 수의 합이 □ 안의 수가 되도록 빈칸에 알맞은 수를 써 넣으세요.

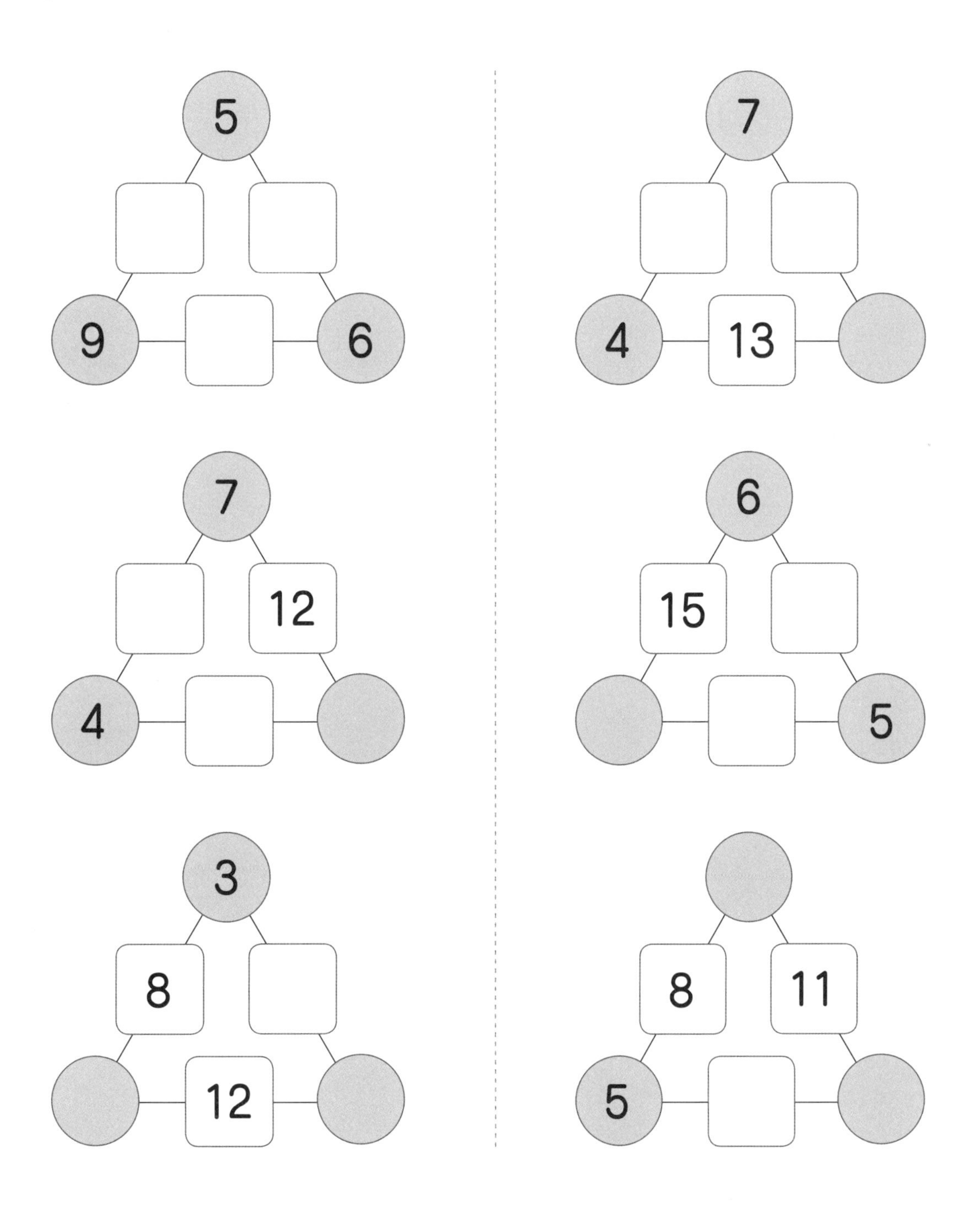

Note

소마의 마술같은 원리셈

정답

P 8~9

1일차 어떤 수 + □

그림을 보고 □안에 알맞은 수를 써넣어, ★이 나타내는 수를 구하세요.

7 + ★ = 10
★ = 10 - 7
= 3

5 + ★ = 9
★ = 9 - 5
= 4

6 + ★ = 9
★ = 9 - 6
= 3

TIP
7+★=10일 때, 7에서 얼마가 더해졌는지를 찾아서 ★을 구할 수 있습니다. 그림을 통해 더해진 수인 ★은 10−7과 같음을 알도록 합니다.

8 소마셈 – A4

1주 월 일

그림을 보고 □안에 알맞은 수를 써넣어, ★이 나타내는 수를 구하세요.

★ + 7 = 12
★ = 12 - 7
= 5

★ + 8 = 15
★ = 15 - 8
= 7

★ + 4 = 11
★ = 11 - 4
= 7

1주 – 어떤 수 + □ 9

P 10~11

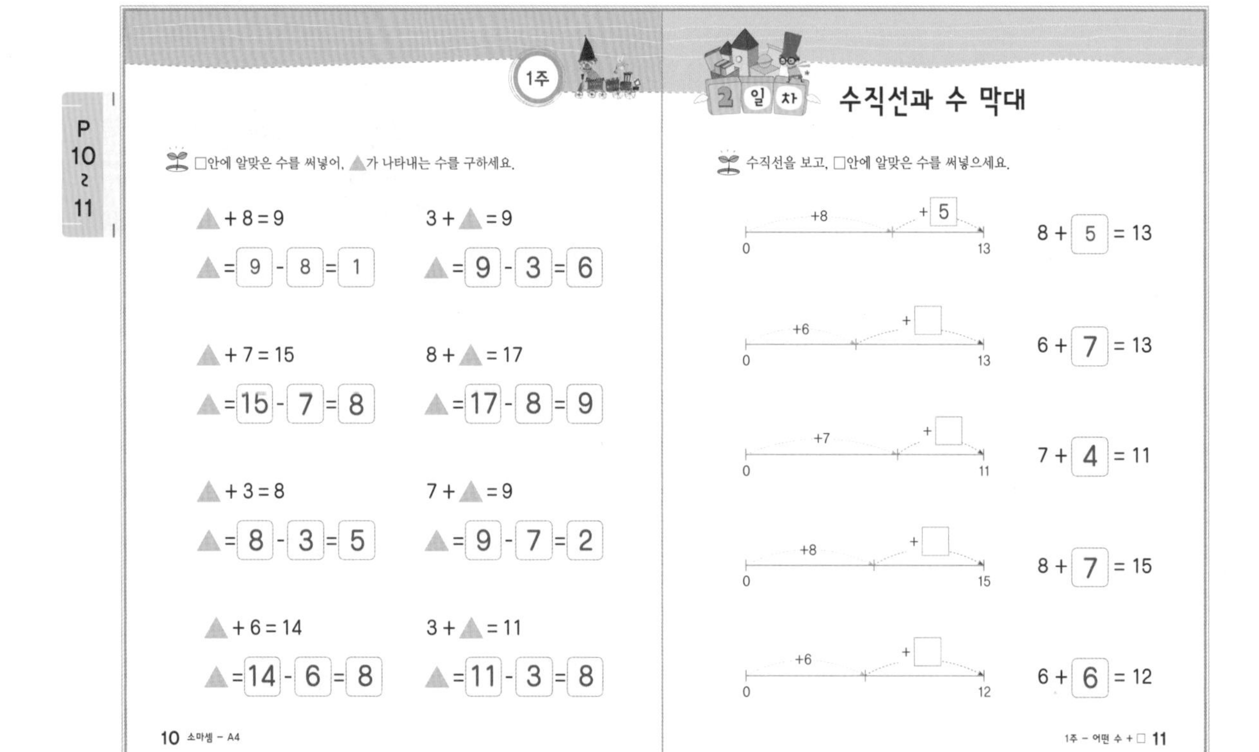

1주

□안에 알맞은 수를 써넣어, ▲가 나타내는 수를 구하세요.

▲ + 8 = 9
▲ = 9 - 8 = 1

3 + ▲ = 9
▲ = 9 - 3 = 6

▲ + 7 = 15
▲ = 15 - 7 = 8

8 + ▲ = 17
▲ = 17 - 8 = 9

▲ + 3 = 8
▲ = 8 - 3 = 5

7 + ▲ = 9
▲ = 9 - 7 = 2

▲ + 6 = 14
▲ = 14 - 6 = 8

3 + ▲ = 11
▲ = 11 - 3 = 8

10 소마셈 – A4

2일차 수직선과 수 막대

수직선을 보고, □안에 알맞은 수를 써넣으세요.

8 + 5 = 13

6 + 7 = 13

7 + 4 = 11

8 + 7 = 15

6 + 6 = 12

1주 – 어떤 수 + □ 11

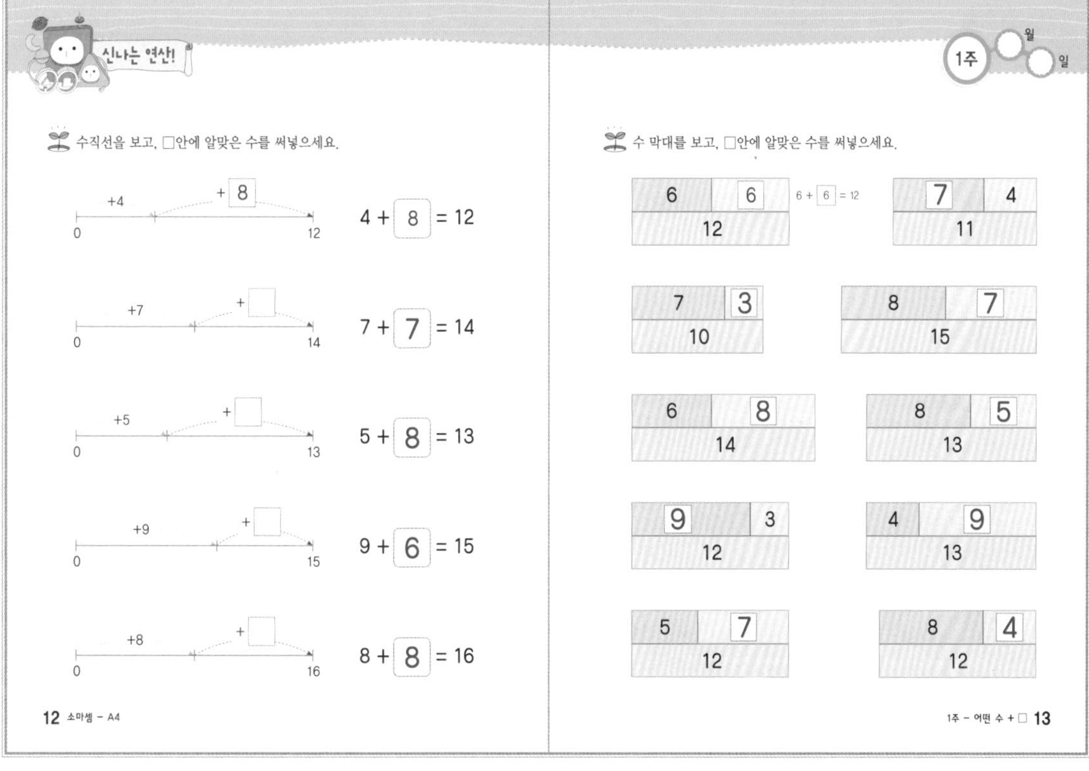
신나는 연산!
수직선을 보고, □안에 알맞은 수를 써넣으세요.
4 + 8 = 12
7 + 7 = 14
5 + 8 = 13
9 + 6 = 15
8 + 8 = 16
12 소마셈 - A4
1주
수 막대를 보고, □안에 알맞은 수를 써넣으세요.
6 + 6 = 12
1주 - 어떤 수 + □ 13
P 12 ~ 13

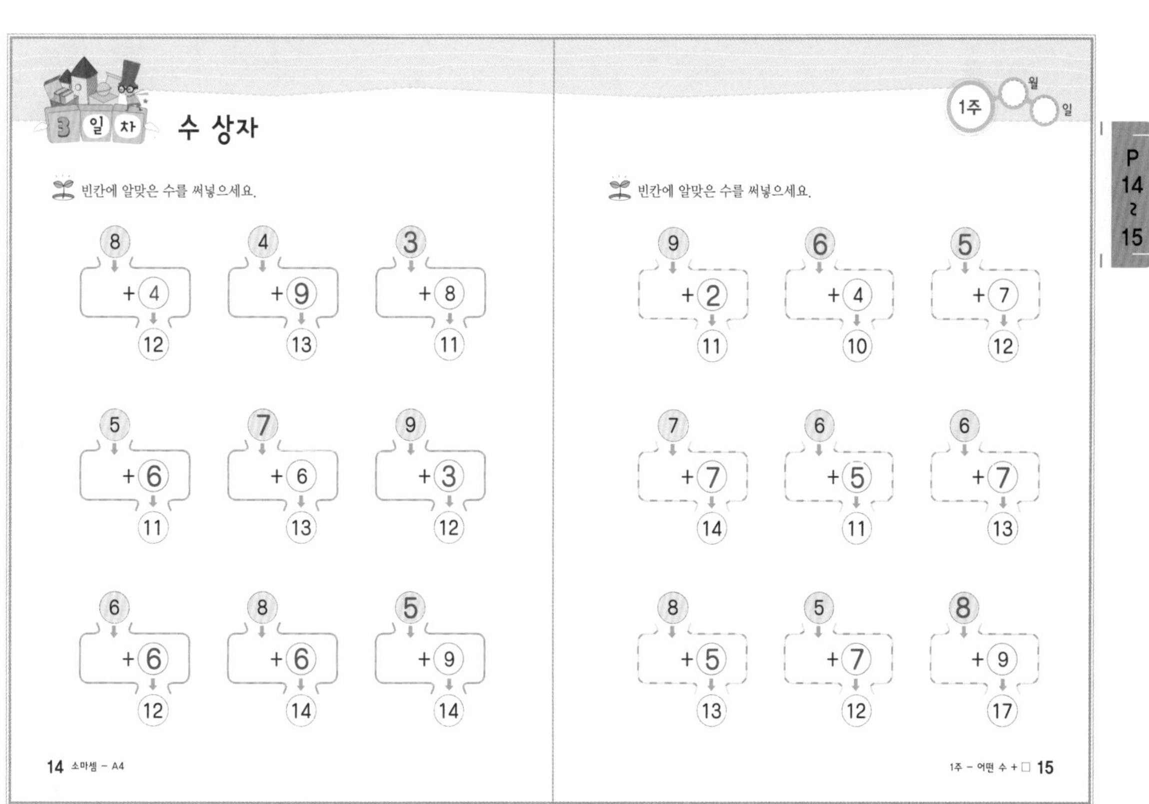
3 일차
수 상자
빈칸에 알맞은 수를 써넣으세요.
14 소마셈 - A4
1주
1주 - 어떤 수 + □ 15
P 14 ~ 15

P 16~17

4일차 저울산

양팔저울의 균형이 맞도록 빈 곳에 알맞은 수를 써넣으세요.

4 + 8 = 12

5 9 / 14　　13 / 5 8

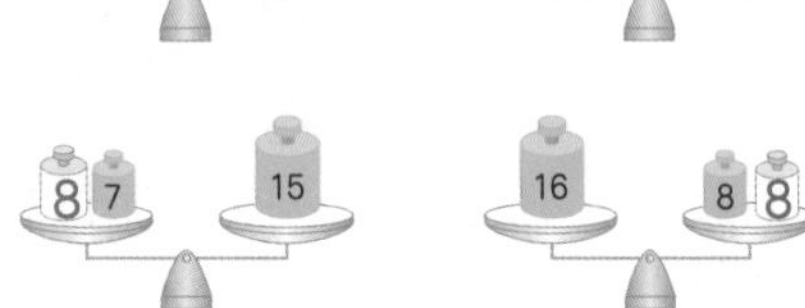

양팔저울의 균형이 맞도록 빈 곳에 알맞은 수를 써넣으세요.

8 3 / 11　　6 5 / 11

5 7 / 12　　11 / 4 7

6 8 / 14　　7 7 / 14

17 / 9 8　　8 3 / 11

P 18~19

□가 있는 식 만들기

이야기를 읽고 □를 사용하여 식을 만들고, □를 구하세요.

정우는 희연이와 도서관에서 만나기로 하여 집을 나섰습니다. 버스 정류장에 도착하여 줄을 서 있는데 심심했던 정우는 버스를 기다리는 사람의 수를 세어보기로 했습니다.
버스를 기다리는 사람 중 남자는 7명이었고, 여자 몇 명이 더 있었습니다.
모두 11명이 줄을 서 있었다면, 버스 정류장에 줄을 서 있는 사람 중에서 여자는 몇 명일까요?

식 : 7 + □ = 11　　4 명

다음을 읽고 □를 사용하여 식을 만들고, □를 구하세요.

주영이는 연필이 8자루 있는데 지난주에 선생님에게 상으로 연필을 몇 자루 더 받았습니다. 주영이가 현재 가지고 있는 연필이 14자루라면 상으로 받은 연필은 몇 자루일까요?

식 : 8 + □ = 14　　6 자루

철희가 딱지 7개를 만들어 친구들과 딱지치기를 했습니다. 철희가 여러 번 이겨서 딱지 몇 개를 땄더니 모두 12개가 되었습니다. 철희가 친구들에게 딴 딱지는 몇 개일까요?

식 : 7 + □ = 12　　5 개

P 20 ~ 21

다음을 읽고 □를 사용하여 식을 만들고, □를 구하세요.

소풍을 간 호철이와 소연이가 팀이 되어 보물찾기를 했습니다. 호철이가 먼저 4개를 찾았고, 소연이가 몇 개를 더 찾아서 둘은 모두 11개의 보물을 찾았습니다. 소연이가 찾은 보물은 몇 개일까요?

식 : 4 + □ = 11 　 7 개

소마 초등학교 운동장에는 버드나무가 8그루 있습니다. 식목일에 버드나무를 몇 그루 더 심었더니 모두 14그루가 되었습니다. 식목일에 심은 버드나무는 몇 그루일까요?

식 : 8 + □ = 14 　 6 그루

올해 7살인 수지의 나이와 오빠의 나이를 합하면 16살이 됩니다. 수지의 오빠는 몇 살일까요?

식 : 7 + □ = 16 　 9 살

다음을 읽고 □를 사용하여 식을 만들고, □를 구하세요.

세림이는 추석에 엄마와 송편을 만들었습니다. 엄마 후 만든 송편을 세어보니 세림이는 5개를 만들었고, 둘이 만든 송편은 모두 13개였습니다. 엄마가 만든 송편은 몇 개일까요?

식 : 5 + □ = 13 　 8 개

꽃병에 빨간색 장미가 6송이 꽂혀 있습니다. 노란색 장미 몇 송이를 더 꽂았더니 모두 11송이가 되었습니다. 노란색 장미는 몇 송이일까요?

식 : 6 + □ = 11 　 5 송이

학교 운동장에 세발 자전거를 타는 아이들이 5명 있습니다. 현지가 자전거를 세어보니 두발 자전거와 세발 자전거는 모두 14대가 있습니다. 두발 자전거를 타는 아이들은 몇 명일까요?

식 : 5 + □ = 14 　 9 명

정답

P 24 ~ 25

1일차 어떤 수 - □

그림을 보고 □안에 알맞은 수를 써넣어, ★이 나타내는 수를 구하세요.

9 - ★ = 4
★ = 9 - 4
= 5

9 - ★ = 6
★ = 9 - 6
= 3

8 - ★ = 3
★ = 8 - 3
= 5

TIP
9-★=4일 때, 9에서 얼마를 빼었는지를 찾아서 ★을 구할 수 있습니다. 그림을 통해 뺀 수인 ★이 9-4와 같음을 알도록 합니다.

2주 월 일

그림을 보고 □안에 알맞은 수를 써넣어, ★이 나타내는 수를 구하세요.

12 - ★ = 5
★ = 12 - 5
= 7

13 - ★ = 8
★ = 13 - 8
= 5

15 - ★ = 6
★ = 15 - 6
= 9

P 26 ~ 27

2주

□안에 알맞은 수를 써넣어, ▲가 나타내는 수를 구하세요.

10 - ▲ = 3
▲ = 10 - 3 = 7

8 - ▲ = 2
▲ = 8 - 2 = 6

12 - ▲ = 6
▲ = 12 - 6 = 6

14 - ▲ = 7
▲ = 14 - 7 = 7

11 - ▲ = 3
▲ = 11 - 3 = 8

15 - ▲ = 8
▲ = 15 - 8 = 7

13 - ▲ = 5
▲ = 13 - 5 = 8

12 - ▲ = 7
▲ = 12 - 7 = 5

2일차 수직선과 수 막대

수직선을 보고, □안에 알맞은 수를 써넣으세요.

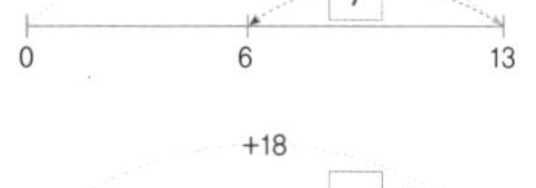

13 - 7 = 6

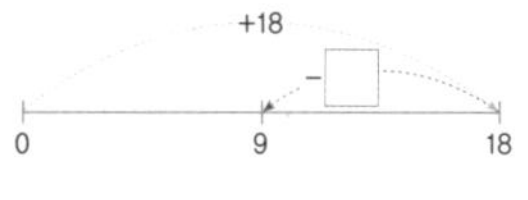

18 - 9 = 9

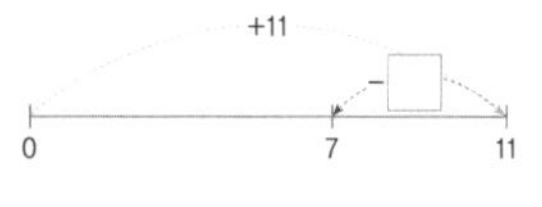

11 - 4 = 7

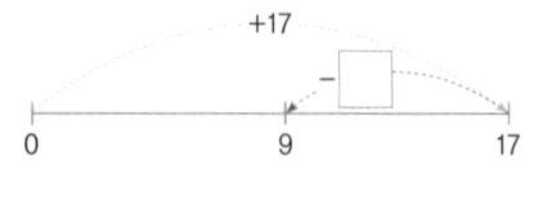

17 - 8 = 9

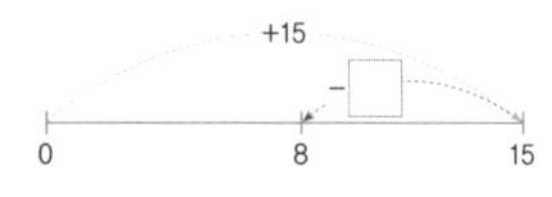

15 - 7 = 8

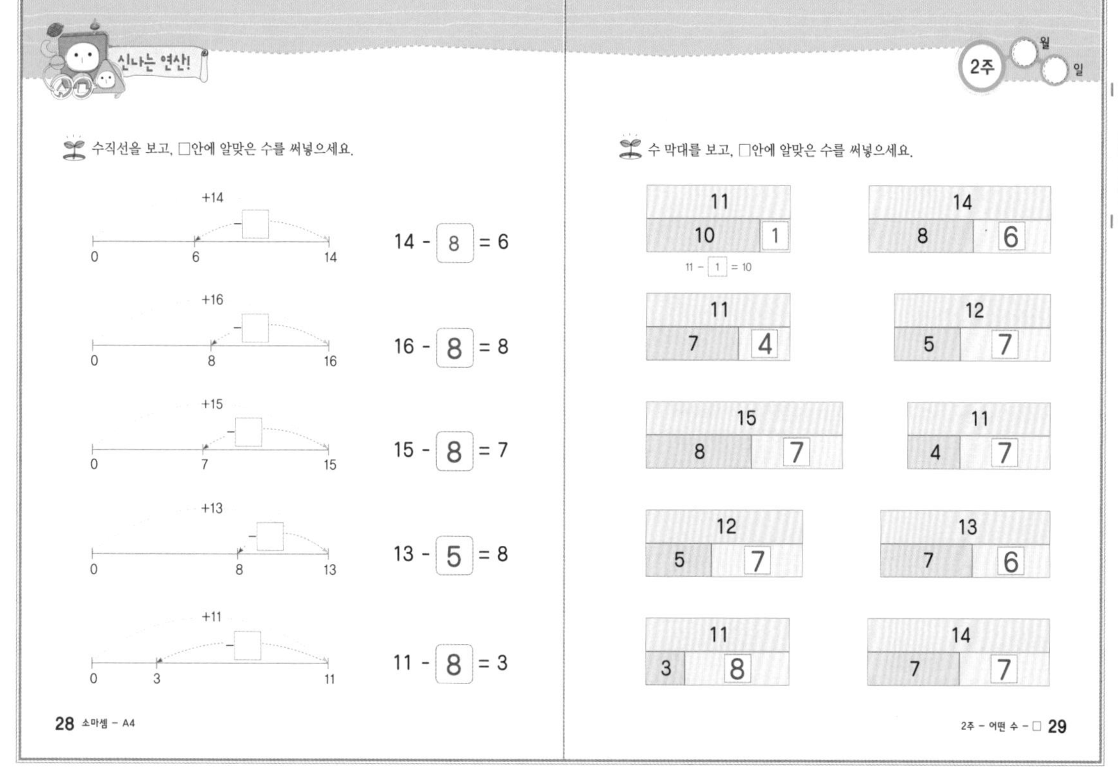
신나는 연산!

2주 월 일

수직선을 보고, □안에 알맞은 수를 써넣으세요.

+14, 0, 6, 14: 14 - 8 = 6

+16, 0, 8, 16: 16 - 8 = 8

+15, 0, 7, 15: 15 - 8 = 7

+13, 0, 8, 13: 13 - 5 = 8

+11, 0, 3, 11: 11 - 8 = 3

수 막대를 보고, □안에 알맞은 수를 써넣으세요.

11: 10, 1 (11 - 1 = 10)

14: 8, 6

11: 7, 4

12: 5, 7

15: 8, 7

11: 4, 7

12: 5, 7

13: 7, 6

11: 3, 8

14: 7, 7

28 소마셈 - A4

2주 - 어떤 수 - □ 29

P 28 ~ 29

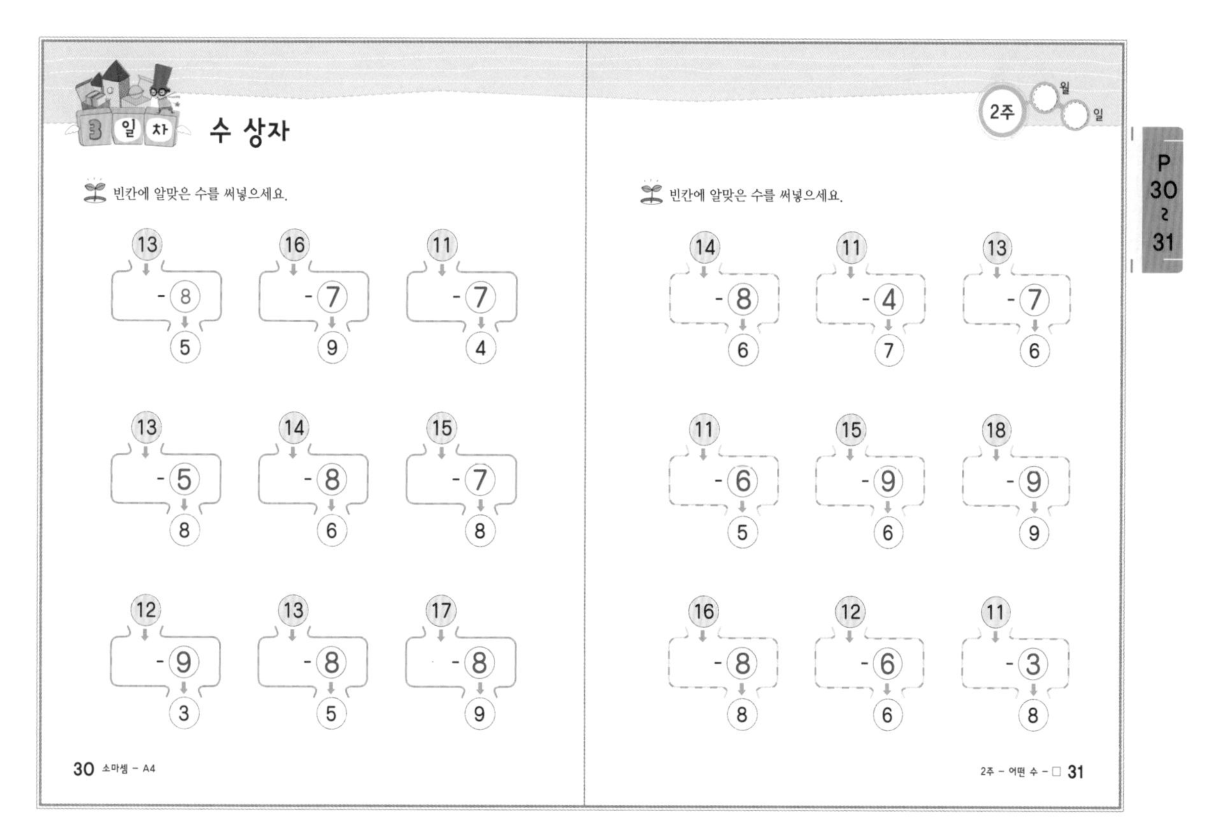
3일차 수 상자

2주 월 일

빈칸에 알맞은 수를 써넣으세요.

13 - 8 → 5

16 - 7 → 9

11 - 7 → 4

13 - 5 → 8

14 - 8 → 6

15 - 7 → 8

12 - 9 → 3

13 - 8 → 5

17 - 8 → 9

빈칸에 알맞은 수를 써넣으세요.

14 - 8 → 6

11 - 4 → 7

13 - 7 → 6

11 - 6 → 5

15 - 9 → 6

18 - 9 → 9

16 - 8 → 8

12 - 6 → 6

11 - 3 → 8

30 소마셈 - A4

2주 - 어떤 수 - □ 31

P 30 ~ 31

P 32 ~ 33

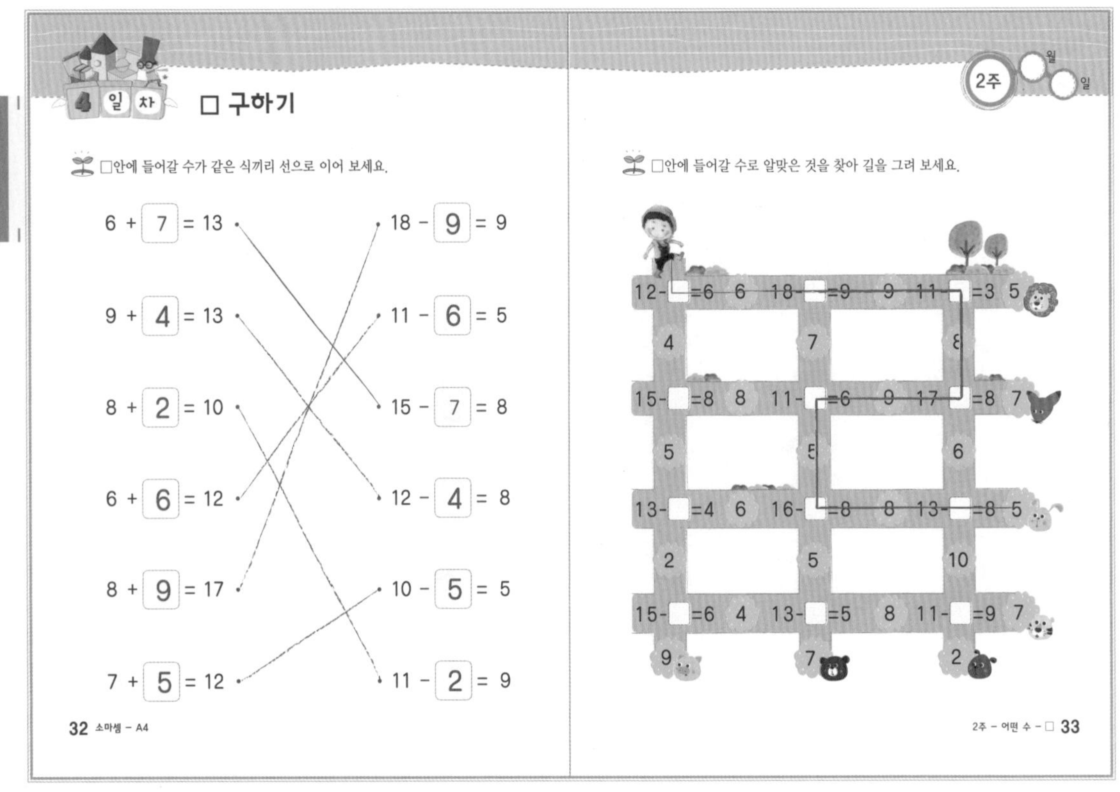
4일차

□ 구하기

□안에 들어갈 수가 같은 식끼리 선으로 이어 보세요.

6 + 7 = 13
9 + 4 = 13
8 + 2 = 10
6 + 6 = 12
8 + 9 = 17
7 + 5 = 12

18 − 9 = 9
11 − 6 = 5
15 − 7 = 8
12 − 4 = 8
10 − 5 = 5
11 − 2 = 9

32 소마셈 – A4

2주 월 일

□안에 들어갈 수로 알맞은 것을 찾아 길을 그려 보세요.

12−□=6 6 18−□=9 9 11−□=3 5
4 7 8
15−□=8 8 11−□=6 9 17−□=8 7
5 5 6
13−□=4 6 16−□=8 8 13−□=8 5
2 5 10
15−□=6 4 13−□=5 8 11−□=9 7
9 7 2

2주 – 어떤 수 – □ 33

P 34 ~ 35

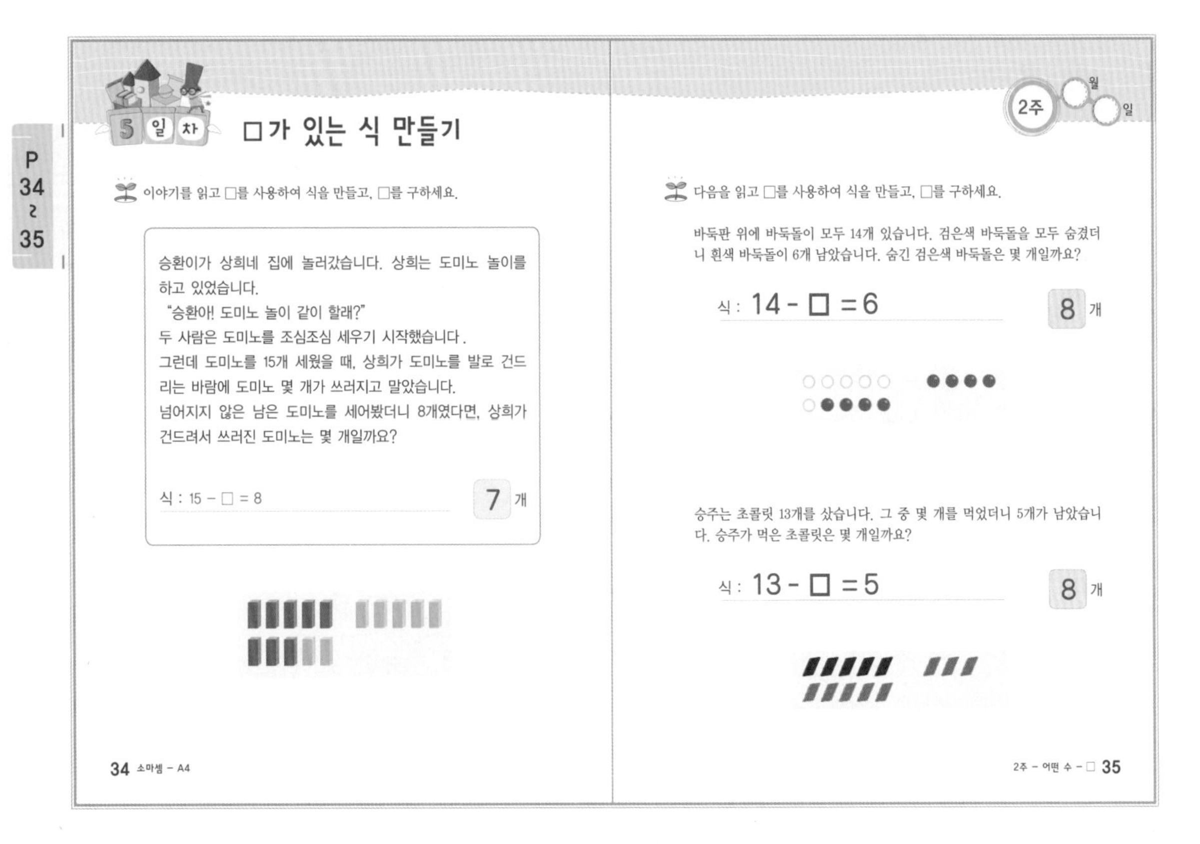
5일차

□가 있는 식 만들기

이야기를 읽고 □를 사용하여 식을 만들고, □를 구하세요.

승환이가 상희네 집에 놀러갔습니다. 상희는 도미노 놀이를 하고 있었습니다.
"승환아! 도미노 놀이 같이 할래?"
두 사람은 도미노를 조심조심 세우기 시작했습니다.
그런데 도미노를 15개 세웠을 때, 상희가 도미노를 발로 건드리는 바람에 도미노 몇 개가 쓰러지고 말았습니다.
넘어지지 않은 남은 도미노를 세어봤더니 8개였다면, 상희가 건드려서 쓰러진 도미노는 몇 개일까요?

식 : 15 − □ = 8　　7 개

34 소마셈 – A4

2주 월 일

다음을 읽고 □를 사용하여 식을 만들고, □를 구하세요.

바둑판 위에 바둑돌이 모두 14개 있습니다. 검은색 바둑돌을 모두 숨겼더니 흰색 바둑돌이 6개 남았습니다. 숨긴 검은색 바둑돌은 몇 개일까요?

식 : 14 − □ = 6　　8 개

승주는 초콜릿 13개를 샀습니다. 그 중 몇 개를 먹었더니 5개가 남았습니다. 승주가 먹은 초콜릿은 몇 개일까요?

식 : 13 − □ = 5　　8 개

2주 – 어떤 수 – □ 35

2주

P 36 ~ 37

다음을 읽고 □를 사용하여 식을 만들고, □를 구하세요.

현지는 사탕을 11개 가지고 있습니다. 몇 개를 친구들과 나누어 먹고 나니 사탕이 5개 남았습니다. 현지가 친구들과 나누어 먹은 사탕은 몇 개일까요?

식 : 11 - □ = 5　　6 개

지훈이가 산에 가서 14개의 밤을 주웠습니다. 집에 돌아와 밤을 깠더니 몇 개는 썩어서 먹을 수 없고, 6개는 먹을 수 있었습니다. 지훈이가 딴 밤 중 먹을 수 없는 밤은 몇 개일까요?

식 : 14 - □ = 6　　8 개

수정이는 어제 수학 문제 16개를 풀었습니다. 채점을 한 결과 몇 개는 틀리고, 7개를 맞혔다면 틀린 문제는 몇 개일까요?

식 : 16 - □ = 7　　9 개

36 소마셈 - A4

다음을 읽고 □를 사용하여 식을 만들고, □를 구하세요.

민지가 엄마 심부름으로 계란 16개를 사왔습니다. 그런데, 집에 와서 보니 몇 개는 깨져있고 9개는 깨지지 않았습니다. 민지가 사온 계란 중 깨진 계란은 몇 개일까요?

식 : 16 - □ = 9　　7 개

수정이는 장식용 리본 12개를 가지고 있습니다. 크리스마스에 친구들의 선물을 포장하는데 몇 개를 사용했더니 7개가 남았습니다. 수정이가 사용한 장식용 리본은 몇 개일까요?

식 : 12 - □ = 7　　5 개

주영이와 아빠가 낚시를 하러 가서 물고기 17마리를 잡았습니다. 몇 마리는 너무 작아서 놓아주고, 남은 물고기 8마리는 집에 가지고 왔습니다. 주영이가 놓아준 물고기는 몇 마리일까요?

식 : 17 - □ = 8　　9 마리

2주 - 어떤 수 - □ 37

P 40 ~ 41

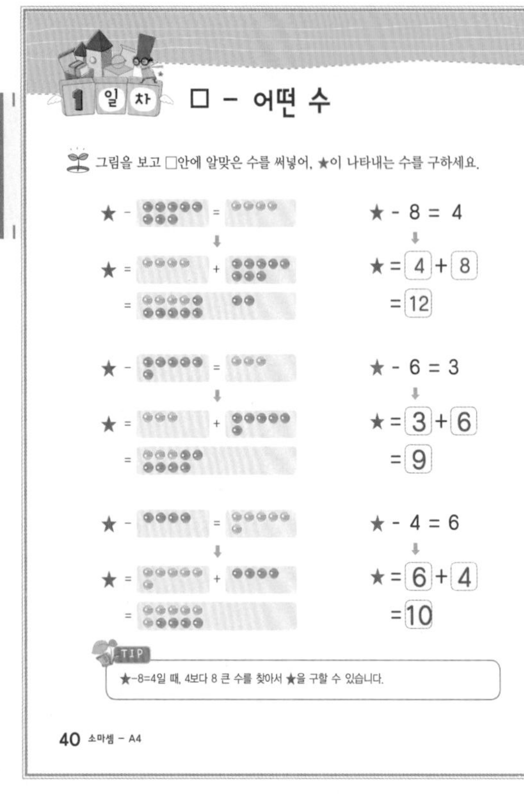

1일차 □ - 어떤 수

그림을 보고 □안에 알맞은 수를 써넣어, ★이 나타내는 수를 구하세요.

★ - 8 = 4
★ = 4 + 8
= 12

★ - 6 = 3
★ = 3 + 6
= 9

★ - 4 = 6
★ = 6 + 4
= 10

TIP
★-8=4일 때, 4보다 8 큰 수를 찾아서 ★을 구할 수 있습니다.

40 소마셈 – A4

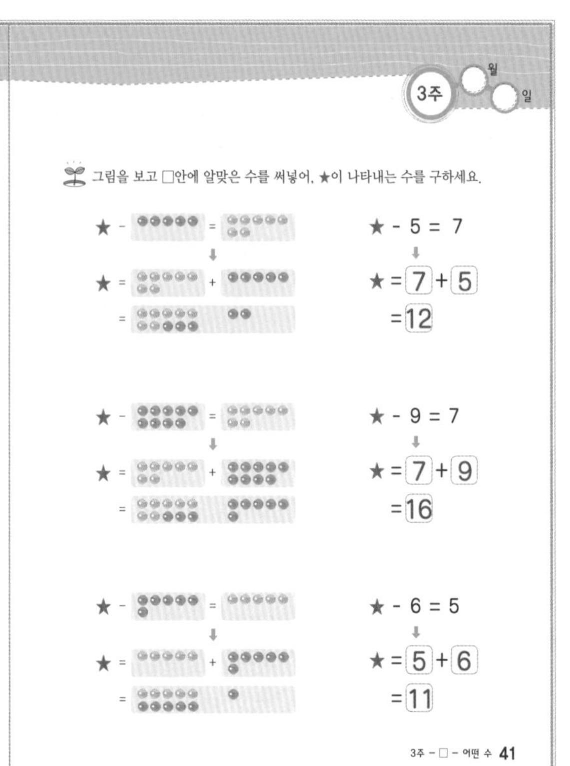

3주 월 일

그림을 보고 □안에 알맞은 수를 써넣어, ★이 나타내는 수를 구하세요.

★ - 5 = 7
★ = 7 + 5
= 12

★ - 9 = 7
★ = 7 + 9
= 16

★ - 6 = 5
★ = 5 + 6
= 11

3주 – □ – 어떤 수 41

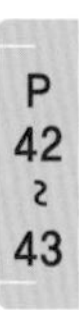

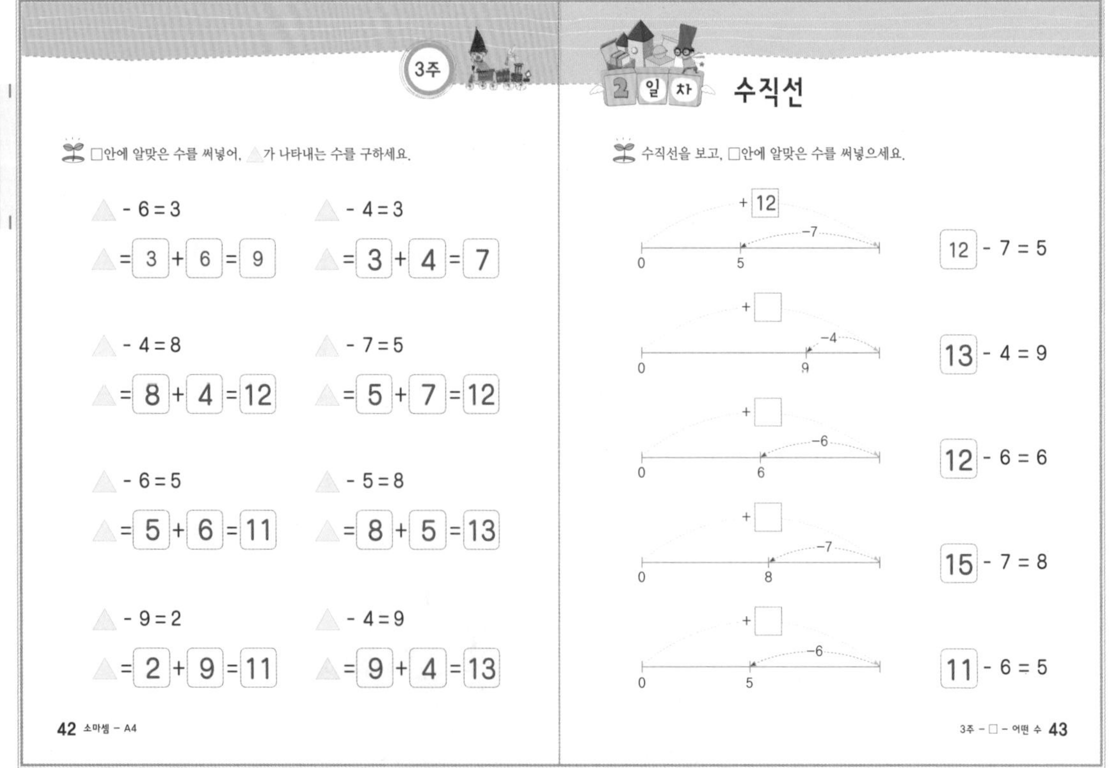

3주

□안에 알맞은 수를 써넣어, △가 나타내는 수를 구하세요.

△ - 6 = 3
△ = 3 + 6 = 9

△ - 4 = 3
△ = 3 + 4 = 7

△ - 4 = 8
△ = 8 + 4 = 12

△ - 7 = 5
△ = 5 + 7 = 12

△ - 6 = 5
△ = 5 + 6 = 11

△ - 5 = 8
△ = 8 + 5 = 13

△ - 9 = 2
△ = 2 + 9 = 11

△ - 4 = 9
△ = 9 + 4 = 13

42 소마셈 – A4

2일차 수직선

수직선을 보고, □안에 알맞은 수를 써넣으세요.

+12, −7, 0, 5: 12 - 7 = 5

+□, −4, 0, 9: 13 - 4 = 9

+□, −6, 0, 6: 12 - 6 = 6

+□, −7, 0, 8: 15 - 7 = 8

+□, −6, 0, 5: 11 - 6 = 5

3주 – □ – 어떤 수 43

신나는 연산!

수직선을 보고, □안에 알맞은 수를 써넣으세요.

+ 14 / 0, 6, −8 → 14 - 8 = 6

+ □ / 0, 5, −9 → 14 - 9 = 5

+ □ / 0, 4, −8 → 12 - 8 = 4

+ □ / 0, 3, −8 → 11 - 8 = 3

+ □ / 0, 6, −5 → 11 - 5 = 6

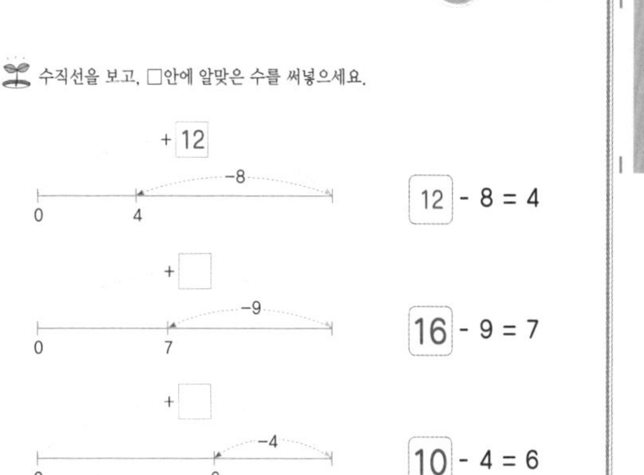

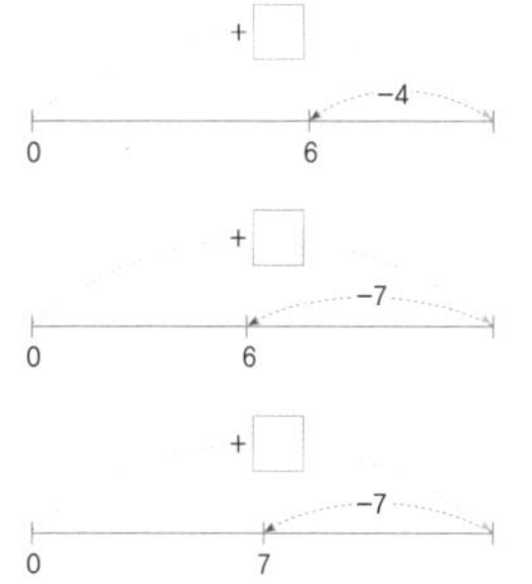

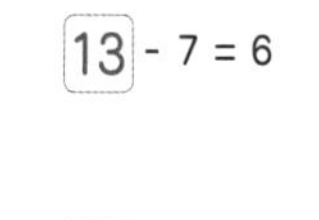

수직선을 보고, □안에 알맞은 수를 써넣으세요.

+ 12 / 0, 4, −8 → 12 - 8 = 4

+ □ / 0, 7, −9 → 16 - 9 = 7

+ □ / 0, 6, −4 → 10 - 4 = 6

+ □ / 0, 6, −7 → 13 - 7 = 6

+ □ / 0, 7, −7 → 14 - 7 = 7

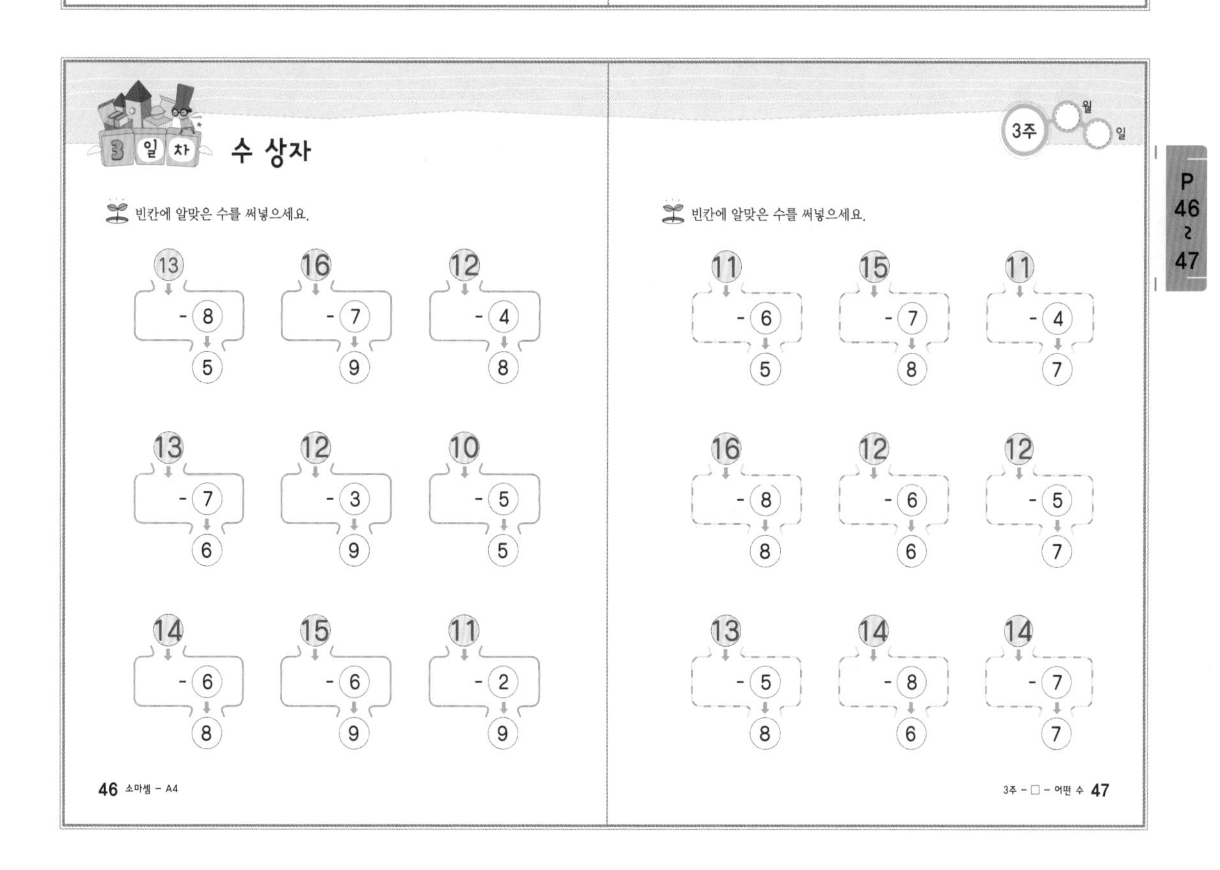

3 일 차 수 상자

빈칸에 알맞은 수를 써넣으세요.

13 - 8 = 5, 16 - 7 = 9, 12 - 4 = 8

13 - 7 = 6, 12 - 3 = 9, 10 - 5 = 5

14 - 6 = 8, 15 - 6 = 9, 11 - 2 = 9

빈칸에 알맞은 수를 써넣으세요.

11 - 6 = 5, 15 - 7 = 8, 11 - 4 = 7

16 - 8 = 8, 12 - 6 = 6, 12 - 5 = 7

13 - 5 = 8, 14 - 8 = 6, 14 - 7 = 7

정답

P 48 ~ 49

4일차 도형이 나타내는 수

식에서 같은 도형은 같은 수를, 다른 도형은 서로 다른 수를 나타냅니다.
식을 보고 도형이 나타내는 수를 찾아보세요.

■ + 8 = 13　　4 + ▲ = 12　　● - ■ = ▲
■ = 5　　▲ = 8　　● = 13

■ - 2 = 9　　4 + ▲ = ■　　■ - ▲ = ●
■ = 11　　▲ = 7　　● = 4

■ + 6 = 15　　11 - ▲ = 5　　● - ■ = ▲
■ = 9　　▲ = 6　　● = 15

TIP
어떤 도형이 나타내는 수를 찾았을 때, 그 수를 다른 식에 있는 같은 도형에 써넣어 다른 도형이 나타내는 수를 찾을 수 있습니다.

3주 월 일

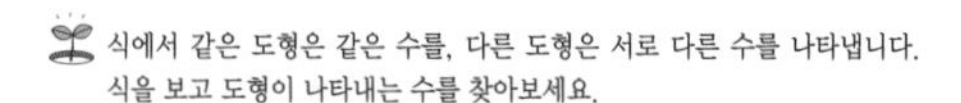
식에서 같은 도형은 같은 수를, 다른 도형은 서로 다른 수를 나타냅니다.
식을 보고 도형이 나타내는 수를 찾아보세요.

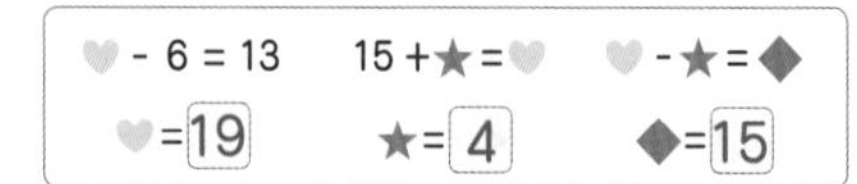
♥ - 6 = 13　　15 + ★ = ♥　　♥ - ★ = ◆
♥ = 19　　★ = 4　　◆ = 15

5 + ♥ = 11　　14 - ★ = ♥　　◆ - ♥ = ★
♥ = 6　　★ = 8　　◆ = 14

♥ + 8 = 13　　♥ + ★ = 12　　★ - ♥ = ◆
♥ = 5　　★ = 7　　◆ = 2

♥ + 5 = 14　　13 - ★ = 10　　◆ - ♥ = ★
♥ = 9　　★ = 3　　◆ = 12

P 50 ~ 51

5일차 □가 있는 식 만들기

이야기를 읽고 □를 사용하여 식을 만들고, □를 구하세요.

지난주에 지인이는 심하게 감기를 앓았습니다. 하지만 아이스크림을 좋아하는 지인이는 감기가 낫자마자 가게로 달려가 아이스크림을 여러 개 사왔습니다.
지인이는 사온 아이스크림 중 7개를 오빠와 함께 먹었습니다. 아이스크림을 먹고 냉장고에 남은 아이스크림을 세어봤더니 5개가 있었습니다.
지인이가 처음에 사온 아이스크림은 모두 몇 개일까요?

식 : □ - 7 = 5　　12 개

3주 월 일

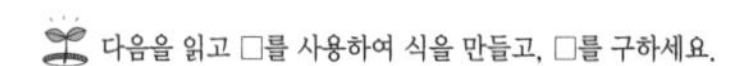
다음을 읽고 □를 사용하여 식을 만들고, □를 구하세요.

일요일 오후에 몇 명의 친구들이 도서관에 모여서 공부를 하고 있습니다. 저녁이 되자 5명은 집으로 돌아갔고, 아직까지 남아있는 친구는 8명입니다. 오후에 도서관에 모인 친구는 모두 몇 명일까요?

식 : □ - 5 = 8　　13 명

호진이가 태권도장에서 기와를 깨는 시범을 보입니다. 기와를 포개어 놓고 격파를 했더니 7장의 기와가 깨지고 남은 기와는 4장입니다. 격파를 하기 위해 쌓아놓은 기와는 모두 몇 장일까요?

식 : □ - 7 = 4　　11 장

P 52 ~ 53

다음을 읽고 □를 사용하여 식을 만들고, □를 구하세요.

주영이가 집으로 가는 길에 붕어빵을 몇 개 샀습니다. 그런데 배가 고파서 붕어빵을 사자마자 4개를 먹었습니다. 집에 와서 보니 남은 붕어빵이 8개였다면 처음에 산 붕어빵은 모두 몇 개일까요?

식 : □ - 4 = 8　　12 개

접시에 귤이 여러 개 있습니다. 귤 6개를 까먹고 남은 귤을 세어보니 7개입니다. 처음에 접시에 있던 귤은 모두 몇 개일까요?

식 : □ - 6 = 7　　13 개

오중이가 수학 문제 몇 개를 풀었습니다. 채점을 해보니 7개를 틀렸고, 남은 문제 9개는 맞혔습니다. 오중이가 푼 수학 문제는 모두 몇 개일까요?

식 : □ - 7 = 9　　16 개

다음을 읽고 □를 사용하여 식을 만들고, □를 구하세요.

지선이네 반에서 안경을 쓰는 학생은 9명이고, 남은 6명은 안경을 쓰지 않습니다. 지선이네 반 학생은 모두 몇 명일까요?

식 : □ - 9 = 6　　15 명

엄마가 주호에게 사탕 몇 개를 주었습니다. 그 중 6개를 먹고 남은 사탕이 6개라면 처음에 엄마가 주호에게 준 사탕은 모두 몇 개일까요?

식 : □ - 6 = 6　　12 개

책상에 연필이 몇 자루 있습니다. 그 중 4자루를 필통에 넣고 남은 연필을 세어보니 9자루였습니다. 처음 책상에 있었던 연필은 모두 몇 자루일까요?

식 : □ - 4 = 9　　13 자루

정답

P 56 ~ 57

1일차 목표수 만들기 (1)

수 카드를 한 번씩 사용하여 목표수를 만들려고 합니다. 알맞은 수 카드 두 장을 찾아 ○표 하고, 덧셈식을 완성하세요.

(7) 9 (5)	7 + 5 = 12, 5 + 7 = 12
(5) 3 (9)	9 + 5 = 14, 5 + 9 = 14
3 (5) (6)	6 + 5 = 11, 5 + 6 = 11
(2) 6 (8)	8 + 2 = 10, 2 + 8 = 10
(9) 5 (3)	9 + 3 = 12, 3 + 9 = 12

TIP

목표수 만들기, 식 만들기와 같이 주어진 수로 조건에 맞는 식을 만드는 문제는 아이들이 어려워할 만한 소재이지만 한 문제를 해결하면서 여러 계산과정을 연습할 수 있어, 수와 연산의 감각을 키우는 데 도움이 됩니다.

수 카드를 한 번씩 사용하여 목표수를 만들려고 합니다. 알맞은 수 카드 두 장을 찾아 ○표 하고, 뺄셈식을 완성하세요.

4 (7) 8 (1)	7 - 1 = 6
5 (8) 2 (15)	15 - 8 = 7
(6) 4 10 (13)	13 - 6 = 7
9 6 (2) (8)	8 - 2 = 6
(6) 4 3 (10)	10 - 6 = 4
(7) 4 (12) 8	12 - 7 = 5

P 58 ~ 59

2일차 식 만들기

수 카드 세 장을 모두 사용하여 덧셈식을 완성하세요.

7 12 5	7 + 5 = 12, 5 + 7 = 12
3 6 9	6 + 3 = 9, 3 + 6 = 9
5 6 1	5 + 1 = 6, 1 + 5 = 6
15 6 9	9 + 6 = 15, 6 + 9 = 15
11 5 6	6 + 5 = 11, 5 + 6 = 11
7 11 4	7 + 4 = 11, 4 + 7 = 11

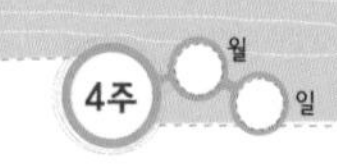

수 카드 세 장을 모두 사용하여 뺄셈식을 완성하세요.

5 2 7	7 - 5 = 2, 7 - 2 = 5
6 3 9	9 - 6 = 3, 9 - 3 = 6
8 11 3	11 - 8 = 3, 11 - 3 = 8
4 12 8	12 - 8 = 4, 12 - 4 = 8
7 4 11	11 - 7 = 4, 11 - 4 = 7
5 8 13	13 - 8 = 5, 13 - 5 = 8

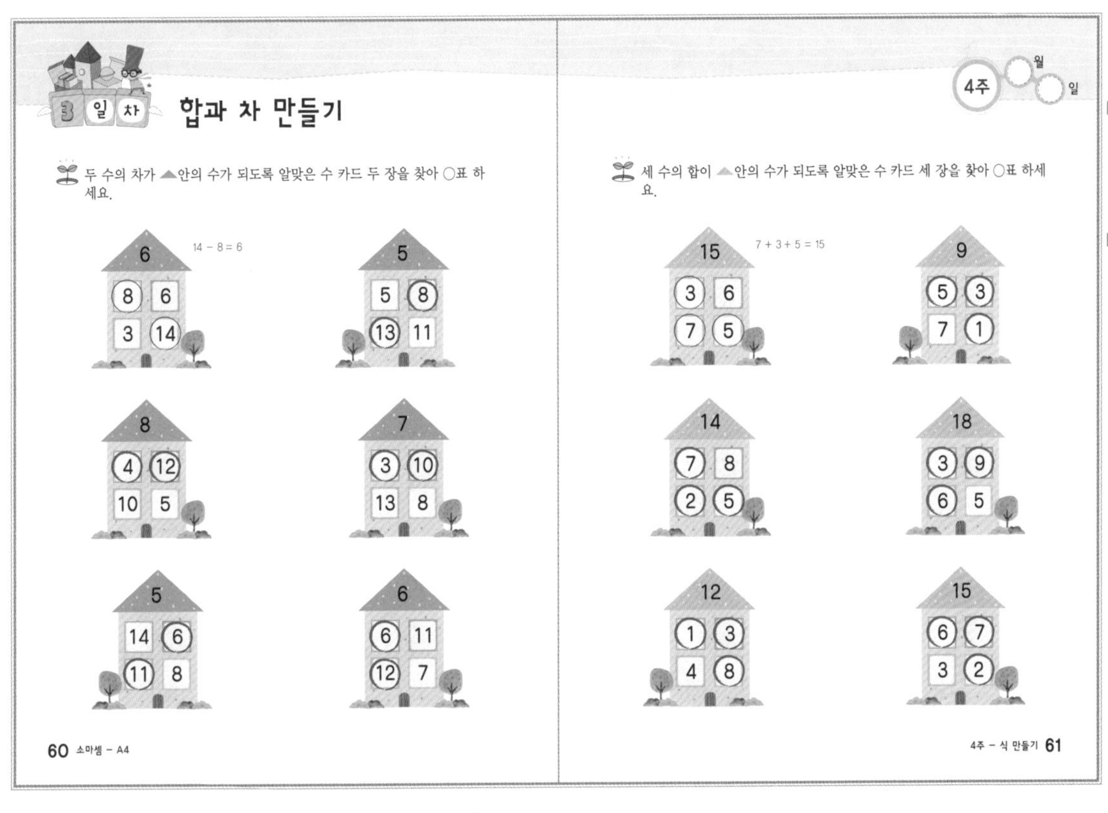
3 일차

합과 차 만들기

두 수의 차가 ▲안의 수가 되도록 알맞은 수 카드 두 장을 찾아 ○표 하세요.

- 6: (8), 6, 3, (14) — 14 − 8 = 6
- 5: 5, (8), (13), 11
- 8: (4), (12), 10, 5
- 7: (3), (10), 13, 8
- 5: 14, (6), (11), 8
- 6: (6), 11, (12), 7

60 소마셈 - A4

4주 월 일

세 수의 합이 ▲안의 수가 되도록 알맞은 수 카드 세 장을 찾아 ○표 하세요.

- 15: (3), 6, (7), (5) — 7 + 3 + 5 = 15
- 9: (5), (3), 7, (1)
- 14: (7), 8, (2), (5)
- 18: (3), (9), (6), 5
- 12: (1), (3), 4, (8)
- 15: (6), (7), 3, (2)

4주 - 식 만들기 61

P 60 ~ 61

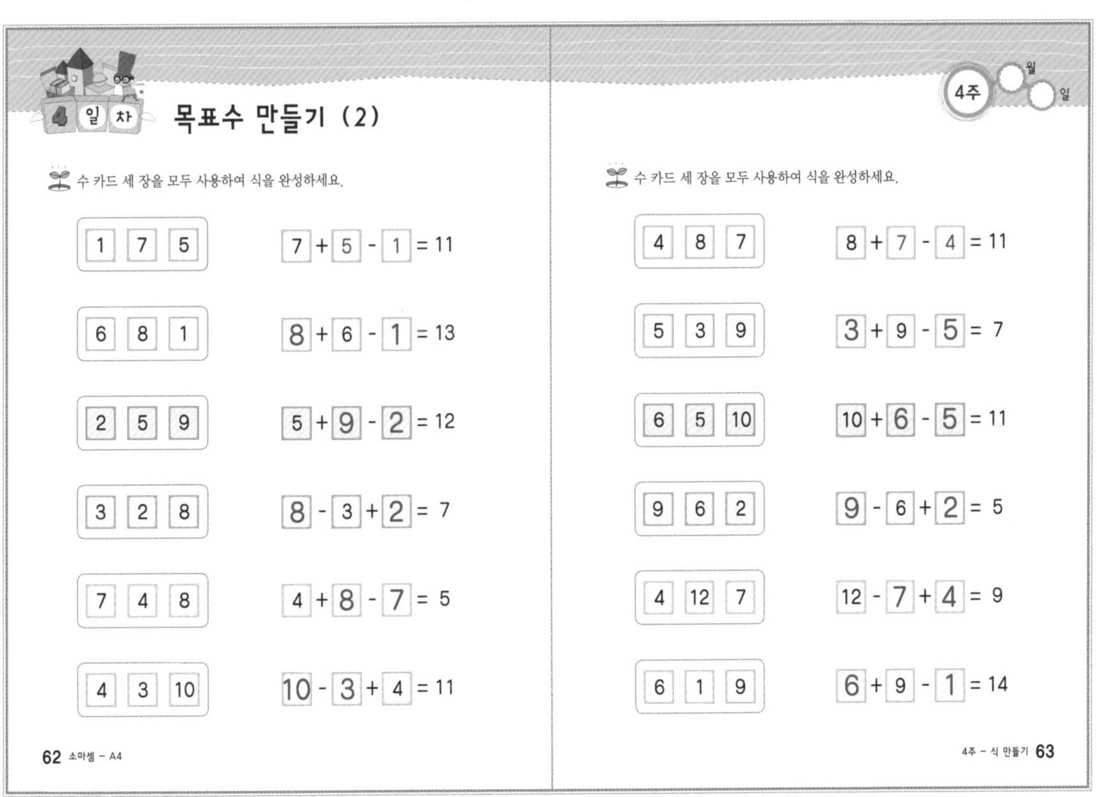
4 일차

목표수 만들기 (2)

수 카드 세 장을 모두 사용하여 식을 완성하세요.

1 7 5	7 + 5 - 1 = 11
6 8 1	8 + 6 - 1 = 13
2 5 9	5 + 9 - 2 = 12
3 2 8	8 - 3 + 2 = 7
7 4 8	4 + 8 - 7 = 5
4 3 10	10 - 3 + 4 = 11

62 소마셈 - A4

4주 월 일

수 카드 세 장을 모두 사용하여 식을 완성하세요.

4 8 7	8 + 7 - 4 = 11
5 3 9	3 + 9 - 5 = 7
6 5 10	10 + 6 - 5 = 11
9 6 2	9 - 6 + 2 = 5
4 12 7	12 - 7 + 4 = 9
6 1 9	6 + 9 - 1 = 14

4주 - 식 만들기 63

P 62 ~ 63

P 64 ~ 65

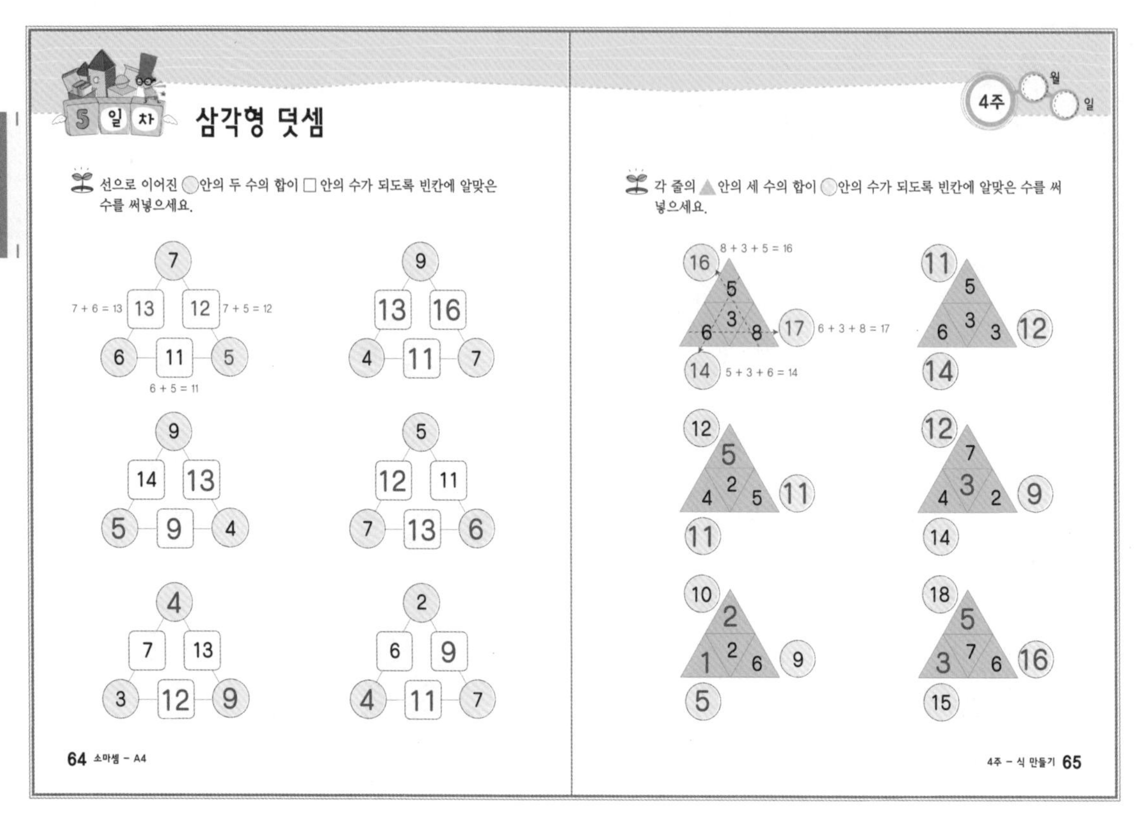
5 일 차
삼각형 덧셈
4주 월 일
선으로 이어진 ◯안의 두 수의 합이 □ 안의 수가 되도록 빈칸에 알맞은 수를 써넣으세요.
7 + 6 = 13
7 + 5 = 12
6 + 5 = 11
각 줄의 ▲ 안의 세 수의 합이 ◯안의 수가 되도록 빈칸에 알맞은 수를 써넣으세요.
8 + 3 + 5 = 16
6 + 3 + 8 = 17
5 + 3 + 6 = 14
64 소마셈 - A4
4주 - 식 만들기 65

P 68 ~ 69

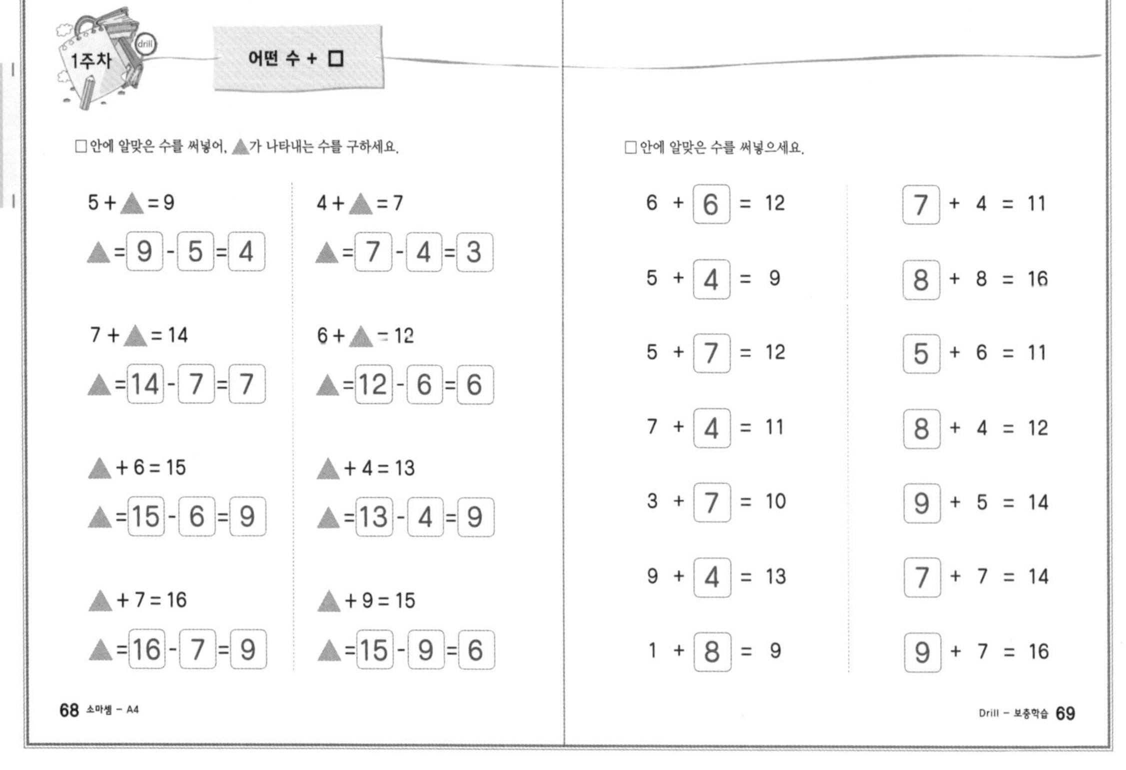
1주차
어떤 수 + □
□안에 알맞은 수를 써넣어, ▲가 나타내는 수를 구하세요.
5 + ▲ = 9
▲ = 9 - 5 = 4
4 + ▲ = 7
▲ = 7 - 4 = 3
7 + ▲ = 14
▲ = 14 - 7 = 7
6 + ▲ = 12
▲ = 12 - 6 = 6
▲ + 6 = 15
▲ = 15 - 6 = 9
▲ + 4 = 13
▲ = 13 - 4 = 9
▲ + 7 = 16
▲ = 16 - 7 = 9
▲ + 9 = 15
▲ = 15 - 9 = 6
□안에 알맞은 수를 써넣으세요.
6 + 6 = 12
5 + 4 = 9
5 + 7 = 12
7 + 4 = 11
3 + 7 = 10
9 + 4 = 13
1 + 8 = 9
7 + 4 = 11
8 + 8 = 16
5 + 6 = 11
8 + 4 = 12
9 + 5 = 14
7 + 7 = 14
9 + 7 = 16
68 소마셈 - A4
Drill - 보충학습 69

□안에 알맞은 수를 써넣어, ▲가 나타내는 수를 구하세요.

4 + ▲ = 9
▲ = 9 - 4 = 5

3 + ▲ = 10
▲ = 10 - 3 = 7

6 + ▲ = 12
▲ = 12 - 6 = 6

5 + ▲ = 14
▲ = 14 - 5 = 9

▲ + 3 = 11
▲ = 11 - 3 = 8

▲ + 5 = 12
▲ = 12 - 5 = 7

▲ + 7 = 13
▲ = 13 - 7 = 6

▲ + 6 = 15
▲ = 15 - 6 = 9

□안에 알맞은 수를 써넣으세요.

4 + 8 = 12
8 + 1 = 9
6 + 4 = 10
5 + 6 = 11
4 + 7 = 11
7 + 5 = 12
8 + 7 = 15

6 + 6 = 12
5 + 6 = 11
8 + 7 = 15
8 + 3 = 11
6 + 7 = 13
7 + 5 = 12
6 + 9 = 15

어떤 수 – □

□안에 알맞은 수를 써넣어, ▲가 나타내는 수를 구하세요.

7 - ▲ = 3
▲ = 7 - 3 = 4

9 - ▲ = 2
▲ = 9 - 2 = 7

17 - ▲ = 9
▲ = 17 - 9 = 8

13 - ▲ = 4
▲ = 13 - 4 = 9

15 - ▲ = 6
▲ = 15 - 6 = 9

12 - ▲ = 9
▲ = 12 - 9 = 3

11 - ▲ = 3
▲ = 11 - 3 = 8

16 - ▲ = 9
▲ = 16 - 9 = 7

□안에 알맞은 수를 써넣으세요.

12 - 7 = 5
14 - 7 = 7
13 - 6 = 7
14 - 6 = 8
14 - 5 = 9
9 - 6 = 3
11 - 2 = 9

11 - 4 = 7
16 - 8 = 8
13 - 4 = 9
14 - 6 = 8
14 - 7 = 7
16 - 8 = 8
12 - 6 = 6

정답

P 74 ~ 75

□안에 알맞은 수를 써넣어, ▲가 나타내는 수를 구하세요.

8 - ▲ = 5
▲ = 8 - 5 = 3

9 - ▲ = 6
▲ = 9 - 6 = 3

15 - ▲ = 6
▲ = 15 - 6 = 9

10 - ▲ = 7
▲ = 10 - 7 = 3

14 - ▲ = 8
▲ = 14 - 8 = 6

13 - ▲ = 8
▲ = 13 - 8 = 5

12 - ▲ = 9
▲ = 12 - 9 = 3

17 - ▲ = 8
▲ = 17 - 8 = 9

74 소마셈 - A4

□안에 알맞은 수를 써넣으세요.

11 - 5 = 6
12 - 4 = 8
13 - 7 = 6
12 - 3 = 9
11 - 4 = 7
10 - 7 = 3
15 - 6 = 9

9 - 3 = 6
15 - 7 = 8
11 - 2 = 9
12 - 7 = 5
14 - 5 = 9
12 - 6 = 6
13 - 5 = 8

Drill - 보충학습 75

P 76 ~ 77

3주차 drill

□ - 어떤 수

□안에 알맞은 수를 써넣어, ▲가 나타내는 수를 구하세요.

▲ - 3 = 5
▲ = 5 + 3 = 8

▲ - 5 = 5
▲ = 5 + 5 = 10

▲ - 6 = 6
▲ = 6 + 6 = 12

▲ - 5 = 8
▲ = 8 + 5 = 13

▲ - 3 = 7
▲ = 7 + 3 = 10

▲ - 8 = 3
▲ = 3 + 8 = 11

▲ - 6 = 7
▲ = 7 + 6 = 13

▲ - 8 = 9
▲ = 9 + 8 = 17

76 소마셈 - A4

□안에 알맞은 수를 써넣으세요.

14 - 5 = 9
14 - 6 = 8
10 - 6 = 4
15 - 8 = 7
17 - 8 = 9
8 - 3 = 5
13 - 5 = 8

10 - 7 = 3
12 - 5 = 7
13 - 4 = 9
14 - 7 = 7
13 - 7 = 6
15 - 6 = 9
10 - 4 = 6

Drill - 보충학습 77

□안에 알맞은 수를 써넣어, ▲가 나타내는 수를 구하세요.

▲ - 5 = 7
▲ = 7 + 5 = 12

▲ - 6 = 4
▲ = 4 + 6 = 10

▲ - 4 = 8
▲ = 8 + 4 = 12

▲ - 5 = 9
▲ = 9 + 5 = 14

▲ - 2 = 8
▲ = 8 + 2 = 10

▲ - 7 = 4
▲ = 4 + 7 = 11

▲ - 4 = 4
▲ = 4 + 4 = 8

▲ - 9 = 3
▲ = 3 + 9 = 12

□안에 알맞은 수를 써넣으세요.

8 - 4 = 4

11 - 8 = 3

9 - 5 = 4

13 - 6 = 7

16 - 7 = 9

14 - 6 = 8

12 - 4 = 8

14 - 9 = 5

14 - 7 = 7

11 - 3 = 8

9 - 2 = 7

10 - 4 = 6

14 - 6 = 8

12 - 5 = 7

식 만들기

수 카드를 빈칸에 넣어 덧셈식을 완성하세요.

수 카드	덧셈식
6, 8, 14	8 + 6 = 14, 6 + 8 = 14
5, 9, 4	5 + 4 = 9, 4 + 5 = 9
11, 6, 5	6 + 5 = 11, 5 + 6 = 11
5, 12, 7	7 + 5 = 12, 5 + 7 = 12
8, 5, 13	8 + 5 = 13, 5 + 8 = 13
5, 14, 9	9 + 5 = 14, 5 + 9 = 14

선으로 이어진 ● 안의 두 수의 합이 □안의 수가 되도록 빈칸에 알맞은 수를 써넣으세요.

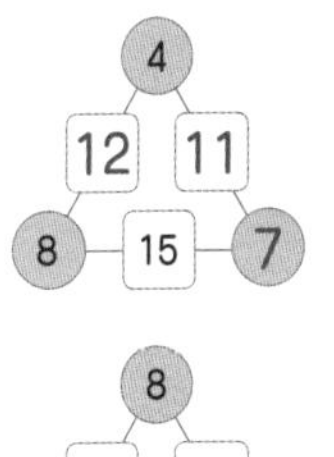

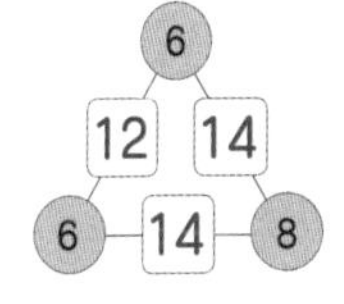

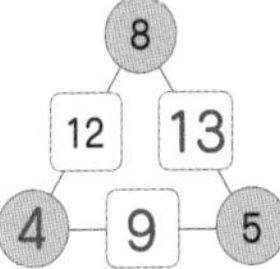

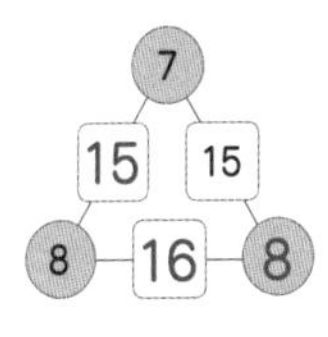

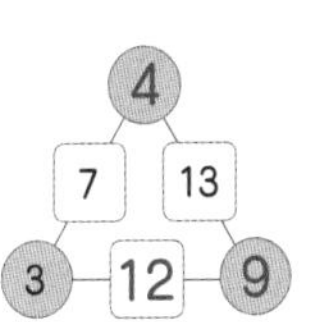

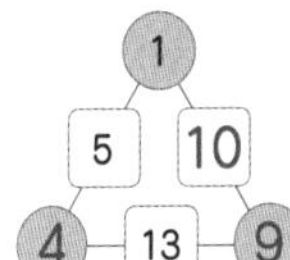

P 82 ~ 83

수 카드를 빈칸에 넣어 뺄셈식을 완성하세요.

수 카드	뺄셈식
11 4 7	11 - 7 = 4, 11 - 4 = 7
9 3 6	9 - 6 = 3, 9 - 3 = 6
6 13 7	13 - 7 = 6, 13 - 6 = 7
4 12 8	12 - 8 = 4, 12 - 4 = 8
7 9 16	16 - 9 = 7, 16 - 7 = 9
15 8 7	15 - 8 = 7, 15 - 7 = 8

82 소마셈 - A4

선으로 이어진 ● 안의 두 수의 합이 □ 안의 수가 되도록 빈칸에 알맞은 수를 써넣으세요.

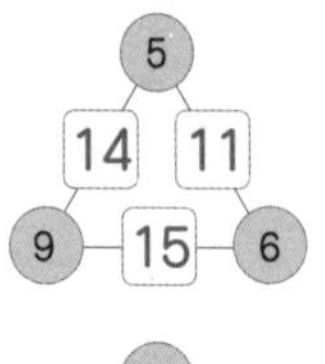

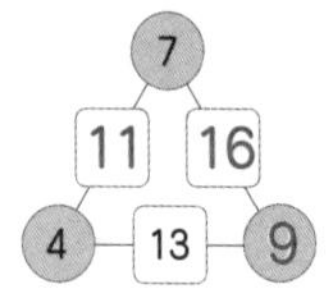

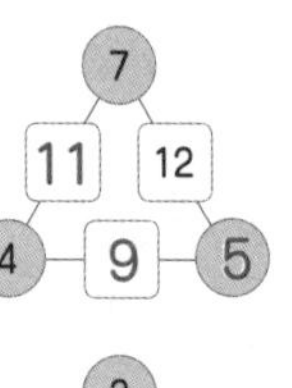

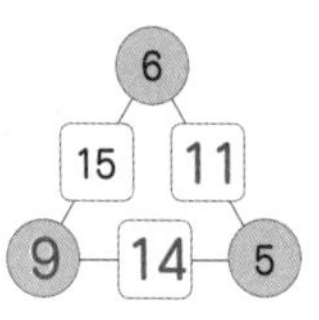

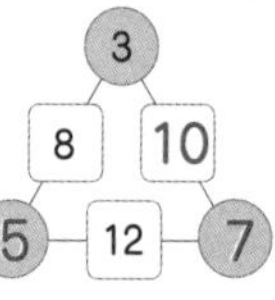

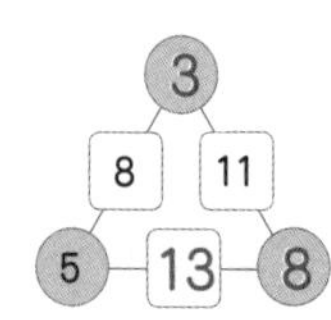

Drill - 보충학습 83

Note

Note